ДЕРЖАВНИЙ
АРХІТЕКТУРНО-ІСТОРИЧНИЙ
ЗАПОВІДНИК
«СОФІЙСЬКИЙ МУЗЕЙ»

ГОСУДАРСТВЕННЫЙ
АРХИТЕКТУРНО-ИСТОРИЧЕСКИЙ
ЗАПОВЕДНИК
«СОФИЙСКИЙ МУЗЕЙ»

THE STATE ARCHITECTURAL
AND HISTORICAL MUSEUM
OF ST. SOPHIA
CATHEDRAL

ДЕРЖАВНИЙ АРХІТЕКТУРНО- ІСТОРИЧНИЙ ЗАПОВІДНИК «СОФІЙСЬКИЙ МУЗЕЙ»

Фотоальбом

Видання друге

КИЕВ
«МИСТЕЦТВО»
1990

Київ... Місто вічної юності... Місто, славна історія якого нараховує півтори тисячі років, де легенди й дійсність живуть поруч. „Матір'ю міст руських“ здавна величають його. Мільйони туристів прагнуть побувати тут, постояти на історичній Старокиївській горі, помилуватися з високих круч Славутича білосніжними новобудовами, які щільним колом обступили Київ, торкнутися теплого каміння величних пам'яток сивої давнини...

Славетна Софія Київська. Дивне відчуття охоплює кожного, хто переступає її поріг. Десь поза стінами залишається гомінливе двадцяте століття. Віки розступаються, і перед притихлими екскурсантами постає далеке минуле... Час розквіту Київської Русі, коли установлювала вона широкі торговельні й дипломатичні зв'язки з державами Заходу і Сходу; коли багато королів Європи мали за честь породичатися з великим князем київським; коли чутки про багатство, красу і яскраву самобутню культуру Києва доходили до найвіддаленіших країн і народів. Саме тоді літописець з гордістю вивів: „...Вся честь и слава и величество и глава всем землям русскиим — Киев“.

По пам'ятках, що входять до складу Державного архітектурно-історичного заповідника „Софійський музей“, можна читати історію вітчизняної архітектури й монументального живопису XI—XIX століть. Це — Софійський собор і ансамбль колишнього Софійського монастиря, Золоті ворота, Кирилівська та Андріївська церкви, Трапезна Михайлівського Золотоверхого монастиря.

Найдавніші пам'ятки — Софійський собор і Золоті ворота зведено в період князювання Ярослава Мудрого. У першій половині XI століття він розширює межі древнього Києва та будує величний ансамбль кам'яних споруд. У „Повісті временних літ“ під 1037 роком про це сказано так: „Заложи Ярослав город великий Києв, у него же града суть Златыя врата; заложи же и церковь святыя Софья, митрополью, и посем церковь на Златых вратах камену святыя Богородица благовещенье; посем святого Георгия манастырь и святыя Орины“.

За цими скупими словами літописця стоять талант і праця багатьох тисяч безіменних майстрів — зодчих і каменярів, штукатурів і мулярів, різьбярів по дереву і каменю. Монументальні споруди того часу являють собою одну з найяскравіших сторінок в історії культури Київської Русі — спільного періоду в розвитку культури російського, українського та білоруського народів.

Пам'ятки архітектури далекого минулого — свідки й безпосередні учасники життя Києва протягом багатьох сторіч. Вони пережили навалу орд степових кочовиків у грізному 1240 році, періоди занепаду й відродження міста у XIV—XVI століттях, бачили національно-визвольну боротьбу українського народу під керівництвом Богдана Хмельницького проти польсько-литовських феодалів у XVII столітті. Пам'ятки ці набули нових рис у період піднесення української культури, викликаного возз'єднанням України з Росією.

У 1934 році в стародавньому Софійському соборі було створено музей. Тоді ж тут розпочалися науково-дослідні та реставраційні роботи. Софія Київська почала служити справі естетичного й патріотичного виховання трудящих, справі пропаганди культурної спадщини нашого народу.

Великих збитків завдали музею фашистські загарбники під час Великої Вітчизняної війни. Хоч сам Софійський собор не зазнав руйнування, однак окупанти пограбували його архіви, вивезли цінні фрески XII століття з Михайлівського Золотоверхого монастиря, що зберігалися у храмі. Лише після війни їх повернули музею в пошкодженому вигляді.

Наприкінці 40-х років у соборі поновилися дослідні роботи. Тут працювали й працюють такі визначні вчені, як В. Лазарєв, М. Каргер, В. Левицька, Ю. Асєєв, М. Кресальний, С. Висоцький та інші. Для розробки методики реставрації настінного живопису Софійського собору було створено спеціальну лабораторію на чолі з відомими реставраторами Л. Калениченком, Є. Мамолатом, О. Плющ. Науково-реставраційною радою керували академіки І. Грабар та В. Лазарєв. На базі реставрації живопису Софії Київської було виховано плеяду українських реставраторів-монументалістів.

У результаті науково-дослідних робіт було створено макет зовнішнього вигляду Софійського собору XI століття, опущено на первісний рівень підлогу, на стінах розкрито з-під столітніх нашарувань кіптяви й пилу, з-під пізніших записів мозаїки і фрески XI сторіччя, проведено великі роботи по вивченню технології стародавнього розпису, розшифровці сюжетів. При розчищенні фресок від олійних записів на них було виявлено стародавні написи — графіті, що становлять цінні пам'ятки давньоруської писемності.

Під час археологічних досліджень на території заповідника одержано цікаві відомості про стародавню топографію місцевості, про історію її забудови, виявлено сліди древніх виробничих комплексів, знайдено залишки кам'яного муру митрополичого подвір'я XI століття.

У фондах Софійського заповідника зібрано понад 60 тисяч одиниць зберігання. Це археологічні колекції, обмірні креслення по пам'ятках, звіти про дослідницькі роботи, предмети декоративно-прикладного мистецтва, негативи, фотографії, архітектурні деталі. У зібранні заповідника — фрагменти мозаїчної підлоги й мармурові капітелі з розкопок Десятинної церкви, мозаїки і фрески XII століття з Михайлівського Золотоверхого монастиря, зразки золотного шитва XI—XII століть, колекція копій монументального живопису з пам'яток архітектури на території України. Останнім часом у Софійському заповіднику створюється Музей архітектури УРСР.

Великі науково-дослідні та реставраційні роботи проведено також у філіалах заповідника — Золотих воротах, Кирилівській та Андріївській церквах, Михайлівській трапезній. На реставрацію цих найцінніших пам'яток архітектури держава щорічно виділяє великі кошти.

Архітектурна довершеність Софійського собору, багатокольорові мозаїки і фрески XI сторіччя вражають людей протягом віків. Творчість майстрів минулих епох викликає постійний інтерес до цієї чудової пам'ятки.

Рік у рік збільшується потік відвідувачів Софійського заповідника. Щороку тут буває понад два мільйони чоловік, серед них тільки на території Софійського собору — півтора мільйона. Це школярі та студенти, робітники й колгоспники, туристи з братніх республік, численні гості з зарубіжних країн.

Пам'ятки Софійського заповідника — це віхи вітчизняної історії, культури, мистецтва. Вони розповідають про талант і мудрість наших далеких предків, розкривають перед нами дивні грані краси, створеної руками людини, вони свідчать про одвічні корені дружби й єдності братніх слов'янських народів, вчать любити історію своєї Вітчизни.

Радянська держава ретельно охороняє пам'ятки історії та культури. Дбайливе ставлення до них — обов'язок кожної людини. Ці безцінні скарби мають бути збереженими для прийдешніх поколінь.

ГОСУДАРСТВЕННЫЙ АРХИТЕКТУРНО-ИСТОРИЧЕСКИЙ ЗАПОВЕДНИК «СОФИЙСКИЙ МУЗЕЙ»

Фотоальбом

Издание второе

КИЇВ
«МИСТЕЦТВО»
1990

Kиев... Город вечной юности... Город, славная история которого насчитывает полторы тысячи лет. Который издавна величают „матерью городов русских" и где рядом живут легенды и действительность.

Миллионы туристов стремятся побывать здесь, постоять на исторической Старокиевской горе, с высоких круч Славутича полюбоваться белоснежными новостройками, плотным кольцом обступившими Киев, прикоснуться к теплым камням величественных памятников седой старины...

Знаменитая София Киевская... Удивительное ощущение охватывает каждого, кто переступает ее порог. Где-то за стенами остается шумный двадцатый век. Столетия расступаются, и перед притихшими экскурсантами предстает далекое прошлое... Время расцвета Киевской Руси, когда устанавливала она широкие торговые и дипломатические связи с государствами Запада и Востока, а многие короли Европы за честь почитали породниться с великим князем киевским, когда слухи о богатстве, красоте и яркой самобытной культуре Киева доходили до самых отдаленных стран и народов, а летописец с гордостью начертал: „....Вся честь и слава и величество и глава всем землям русским — Киев".

По памятникам, которые входят в состав Государственного архитектурно-исторического заповедника „Софийский музей", можно читать историю отечественной архитектуры и монументальной живописи XI—XIX веков. Это—Софийский собор и ансамбль бывшего Софийского монастыря, Золотые ворота, Кирилловская и Андреевская церкви, Трапезная Михайловского Златоверхого монастыря.

Древнейшие памятники заповедника — Софийский собор и Золотые ворота — возведены в период княжения Ярослава Мудрого. В первой половине XI века он расширяет границы древнего Киева и строит величественный ансамбль каменных зданий. В „Повести временных лет" под 1037 годом об этом сказано так: „Заложи Ярослав город великий Киев, у него же града суть Златыя врата; заложи же и церковь святыя Софья, митрополью, и посемь церковь на Златых вратах камену святыя Богородица благовещенье; посемь святого Георгия манастырь и святыя Орины".

За этими скупыми словами летописца стоят талант и труд многих тысяч безымянных мастеров — зодчих и каменщиков, штукатуров и маляров, резчиков по дереву и камню. Монументальные сооружения того времени представляют собой одну из самых блестящих страниц в истории культуры Киевской Руси — общего периода в развитии культуры русского, украинского и белорусского народов.

Памятники архитектуры далекого прошлого — свидетели и непосредственные участники жизни Киева на протяжении многих веков. Они пережили нашествие орд степных кочевников в роковом 1240 году, периоды запустения и возрождения города в XIV—XVI веках, видели национально-освободительную борьбу украинского народа под руководством Богдана Хмельницкого против польско-литовских феодалов в XVII веке. Памятники эти приобрели новые черты в период подъема украинской культуры, вызванного воссоединением Украины с Россией.

В 1934 году в древнем Софийском соборе был создан музей. Тогда же здесь были начаты научно-исследовательские и реставрационные работы. София Киевская начала служить делу эстетического и патриотического воспитания трудящихся, делу пропаганды культурного наследия нашего народа.

Большой ущерб нанесли музею фашистские захватчики в период Великой Отечественной войны. Хоть сам Софийский собор не пострадал от разрушения, однако оккупанты разграбили его архивы, вывезли хранившиеся здесь ценные фрески XII века из Михайловского Златоверхого монастыря. Лишь после войны они были возвращены музею в поврежденном виде.

В конце 40-х годов в соборе возобновились исследовательские работы. Здесь трудились и трудятся такие видные ученые, как В. Лазарев, М. Каргер, В. Левицкая, Ю. Асеев, Н. Кресальный, С. Высоцкий и другие. Для разработки методики реставрации настенной живописи Софийского собора была создана специальная лаборатория, которую возглавили известные реставраторы Л. Калениченко, Е. Мамолат, О. Плющ. Научно-реставрационным советом руководили академики И. Грабарь и В. Лазарев. На базе реставрации живописи Софии Киевской была воспитана плеяда украинских реставраторов-монументалистов.

В результате научно-исследовательских работ был создан макет внешнего вида Софийского собора XI века, опущены на первоначальный уровень полы в храме, на стенах его раскрыты из-под вековых наслоений копоти и пыли, из-под позднейших записей мозаики и фрески XI века, проведены большие работы по изучению технологии древних росписей, расшифровке сюжетов. При расчистке фресок от масляных записей на них были обнаружены древние надписи — граффити, которые являются ценными памятниками древнерусской письменности.

В ходе археологических исследований на территории заповедника получены интересные данные о древней топографии местности, об истории ее застройки, выявлены следы древних производственных комплексов, обнаружены остатки каменной ограды митрополичьего подворья XI века.

В фондах Софийского заповедника собрано свыше 60 тысяч единиц хранения. Это археологические коллекции, обмерные чертежи по памятникам, отчеты об исследовательских работах, предметы декоративно-прикладного искусства, негативы, фотографии, архитектурные детали. В собрании заповедника — фрагменты мозаичных полов и мраморные капители из раскопок Десятинной церкви, подлинные мозаики и фрески XII века из Михайловского Златоверхого монастыря, образцы золотного шитья XI—XII веков, коллекция копий монументальной живописи из памятников архитектуры на территории Украины. В последние годы в Софийском заповеднике создается Музей архитектуры УССР.

Большие научно-исследовательские и реставрационные работы проведены и в филиалах заповедника — Золотых воротах, Кирилловской и Андреевской церквях, Михайловской трапезной. На реставрацию этих ценнейших архитектурных памятников государство ежегодно выделяет большие средства.

Архитектурное совершенство Софийского собора, многоцветные мозаики и фрески XI века изумляют людей на протяжении столетий. Творчество мастеров ушедших эпох вызывает постоянный интерес к этому удивительному памятнику.

Из года в год увеличивается поток посетителей Софийского заповедника. Ежегодно здесь бывает более двух миллионов человек, в том числе только на территории Софийского собора — полтора миллиона. Среди них — школьники и студенты, рабочие и колхозники, туристы из братских республик, многочисленные гости из зарубежных стран.

Памятники Софийского заповедника — это вехи отечественной истории, культуры, искусства. Они повествуют о таланте и мудрости наших далеких предков, раскрывают перед нами удивительные грани красоты, созданной руками человека, они свидетельствуют об извечных корнях дружбы и единства братских славянских народов, они учат любить историю своего Отечества.

Советское государство заботливо охраняет памятники истории и культуры. Бережное отношение к ним — долг и обязанность каждого человека. Эти бесценные сокровища должны быть сохранены для будущих поколений.

THE STATE ARCHITECTURAL AND HISTORICAL MUSEUM OF ST. SOPHIA CATHEDRAL

Photoalbum

Second edition

KIEV
MISTETSTVO
PUBLISHERS
1990

Kiev... Old yet ever young.... Its glorious history goes back 1,500 years. From times of old it is referred to as "the mother of all cities of Rus." It is also the city where legend merges with reality in striking fashion.

Millions of tourists are eager to visit Kiev, to climb the famous Starokievskaya Hill, to touch the warm stones of the majestic monuments of the past, and, from the steep slopes of the Slavutich (the ancient name for the Dnieper River), to enjoy the panorama of the new residential districts which now circle the entire city.

The famous St. Sophia Cathedral of Kiev.... Everyone is immediately struck upon crossing its threshold. The bustle of the present remains beyond the cathedral doors, centuries recede, and visitors are initiated into the distant past. It was a time of prosperity for the Kievan Rus state, a time when it established and maintained close trading and diplomatic contacts with the countries of the Orient and the West. Many European kings considered it an honour to establish matrimonial ties with the family of the Grand Prince of Kiev. Rumours of Kiev's wealth and beauty as well as the high state of the arts reached many countries of the world. A chronicle of the time read: "Kiev does honour to all the lands of Rus; it is the glory and pride of Old Rus...."

The monuments of the State Historical and Architectural Museum of the St. Sophia Cathedral are often referred to as a chronicle of architecture and monumental painting of the eleventh — nineteenth centuries. The Museum includes the St. Sophia Cathedral and the adjoining buildings of the St. Sophia Monastery, the Golden Gates, St. Cyril's Church, St. Andrew's Church and the Refectory of St. Michael's Monastery of the Golden Domes.

The most ancient of them belong to the period of the reign of Grand Prince Yaroslav the Wise (1019—1054). In the first half of the eleventh century, Prince Yaroslav extended the borders of ancient Kiev, and it was he who started the construction of a majestic ensemble of stone buildings. His construction work is mentioned in the Tale of Bygone Years under the year 1037: "Yaroslav founded a great town near which are the Golden Gates; he also built the Church of St. Sophia, the metropolitan's church, and then the Church of the Annunciation of the Golden Gates, after which he erected the monasteries of St. George and St. Irene." In these scant words the chronicler wrote of the talent and labour of thousands of anonymous architects and stone-masons, plasterers and painters, wood- and stone-cutters. The buildings of note dating from the period of Old Rus, the state which was the cradle for three fraternal peoples — the Russians, Ukrainians and Byelorussians — illustrate one of the most vivid pages in the history of our culture.

For many centuries, architectural monuments of the past have been mute witnesses to and "participants" in historical events. They survived devastating raids of the steppe nomads in the ominous year of 1240, outlived periods of neglect and later restorations in the fourteenth — sixteenth centuries. In the seventeenth century, they witnessed the national-liberation struggle of the Ukrainian people against the Polish and Lithuanian feudal lords under the leadership of Bogdan Khmelnitsky. In the period of cultural rebirth brought about by the reunification of the Ukraine with Russia, these monuments were given a new lease on life.

In 1934, the ancient St. Sophia Cathedral was made an architectural and historical museum. It opened new opportunities for research upon and restoration of the cathedral's architecture and murals. The museum was intended to illustrate the cultural heritage of our people and to serve as a centre of aesthetic and patriotic education of the Soviet people.

In the period of the Great Patriotic War of 1941—1945 the museum suffered great losses. Though the preserve remained intact throughout the occupation, the fascists plundered its archives and funds which preserved among other exhibits the twelfth-century frescoes from St. Michael's Monastery of the Golden Domes. After the war the frescoes, heavily damaged, were returned to the museum.

In the late 1940s, restoration work was resumed. Among those involved in the research were V. Lazarev, M. Karger, V. Levitskaya, Yu. Aseyev, N. Kresalny and S. Vysotsky, to mention but a few. To work out a reliable method of mural restoration, a specific laboratory was set up under the auspices of L. Kalenichenko, Ye. Mamolat, O. Plushch. The scientific and restoration council was headed by Academicians I. Grabar and V. Lazarev. A large group of Ukrainian restorers of monumental painting has matured during the restoration works in the St. Sophia.

The research work in the museum resulted in the reconstruction of a model based on the eleventh-century appearance of the St. Sophia Cathedral, helped to define the level of the building's floors and decipher the subjects of the mural representations. The wall space was cleaned of dirt and overpaint to restore eleventh-century frescoes and mosaics. A great amount of work was devoted to the study of Old Rus painting technique and to the ancient graffiti, valuable examples of the ancient Old Rus script, concealed under a layer of later overpaint. Archeological excavations on the grounds of the preserve brought to light new facts on the ancient topography of the locality, and on construction projects carried out in the monastery precincts throughout its history. Remnants of the eleventh-century stone wall were found in the yard of the metropolitan's residence.

The museum collection numbers over 60,000 items, including archeological finds, surveys and drawings of the monuments, articles of decorative and applied art, photographs and architectural details of decoration. The museum collection contains fragments of mosaic floors and marble capitals from the Church of the Tithes, authentic mosaics and frescoes from St. Michael's Monastery of the Golden Domes (the twelfth cent.), and samples of gold-thread embroidery of the eleventh-twelfth centuries, as well as copies of monumental paintings belonging to various architectural ensembles of the Ukraine. A new museum of Ukrainian Architecture has recently been established at the St. Sophia preserve.

Extensive research and restoration works have been carried out in the branches of the museum — the Golden Gates, St. Cyril's Church, St. Andrew's Church and the Refectory of St. Michael's Cathedral. The Soviet state annually allocates great funds to restore these valuable architectural monuments.

Over the course of many centuries, the architectural perfection of the St. Sophia Cathedral, the vivid colours of the mosaic and fresco compositions dating from the eleventh century have never failed to evoke admiration. The creative work of the master-craftsmen from past epochs cannot but provoke unflagging interest.

The number of visitors to the museum grows with every year. Annually more than two million people visit the preserve, including 1.5 million people to the St. Sophia alone.

The monuments of the St. Sophia Museum are landmarks of our country's history and culture. They illustrate the talent and artistic taste of our people, reveal new facets of beauty, and show the sources of friendship and unity of our fraternal Slavic nations.

The Soviet state carefully preserves historical and cultural monuments. Care for their preservation is duty and obligation of every person. These invaluable treasures must be kept for future generations.

СОФІЯ
КИЇВСЬКА

СОФИЯ
КИЕВСКАЯ

THE ST. SOPHIA
OF KIEV

Створена в далекому XI сторіччі Софія Київська в усі часи захоплювала і продовжує захоплювати людей як видатний витвір мистецтва. Ще давньоруський письменник Іларіон сказав про неї: „Церкви дивна и славна всем округниим странам…“

Навколо Софійського собору височіли патрональні Ірининська та Георгіївська церкви, кам'яні князівські та боярські палаци, дерев'яні житла киян. Важливе містобудівниче значення зберіг храм у наступні часи — і після навали орд степових кочовиків у грізному 1240 році, коли, пограбований, але вцілілий, він був діючим міським собором; і у XVII столітті, коли на його подвір'ї зводилися дерев'яні монастирські будинки; і у XVIII сторіччі, коли навкруг нього виріс ансамбль кам'яних барочних споруд, що прикрашає Київ і у наш час.

З Софією Київською пов'язано багато подій політичного, громадського й культурного життя Стародавньої Русі. Тут проходили урочисті церемонії „посадження“ князя на київський престол, зустрічі іноземних посланців, укладалися угоди про мир між князями. Тут містилася перша на Русі бібліотека, зібрана Ярославом Мудрим, існувала майстерня художників-мініатюристів і переписувачів книг. Біля стін собору збиралося київське віче. Значення громадського центру зберегла Софія і в наступні сторіччя. Пам'ятного січневого дня 1654 року на площі перед собором кияни вітали історичні рішення Переяславської ради.

Перебудови XVII—XVIII століть докорінно змінили первісний вигляд пам'ятки, але під пізнішими барочними нашаруваннями збереглися конструкції XI сторіччя. Основні розміри всередині будівлі (37×55 метрів і висота 29 метрів) залишилися давніми. Однак композиційний задум і архітектурні форми споруди були іншими. На східному фасаді виступали п'ять апсид (що свідчило про внутрішню п'ятинефну структуру), з півночі, заходу й півдня собор оточувало два ряди відкритих галерей — двоповерхові внутрішні й одноповерхові зовнішні. Споруду було увінчано тринадцятьма банями напівсферичної форми, вкритими свинцем. На західному фасаді височіли дві асиметрично поставлені сходові вежі для підйому на хори. Східний кінець північної галереї являв собою замкнуте приміщення з невеликою апсидою, де містилася великокнязівська усипальня (тут стояли кам'яні саркофаги Ярослава Мудрого, Всеволода Ярославича, Володимира Мономаха та інших політичних діячів Стародавньої Русі).

Своєрідної мальовничості зовнішньому вигляду собору надавала відкрита кладка стін — ряди темно-червоного бутового каменю, прошарки тонкої цегли (плінфи) на рожевому цем'янковому розчині.

Всередині собору в основному збереглися архітектурні форми XI століття. Це — стіни основного ядра будови, дванадцять хрещатих стовпів, що поділяють внутрішній простір на п'ять нефів, стовпи й арки галерей, а також тринадцять бань зі світловими барабанами. Головна баня, що поставлена на перетині поздовжнього й поперечного нефів, освітлює центральний підбанний простір.

У XVIII столітті над одноповерховими галереями було надбудовано другі поверхи з банями і закладено відкриті арки. Всередині було розтесано вікна у стінах собору, на місці древнього входу зроблено велику арку. Не збереглася західна двох'ярусна потрійна аркада в центральній підбанній частині (аналогічна південній та північній) і стародавні хори над нею. Через це центральний підбанний простір, що мав у давнину форму рівнокінцевого хреста, у західній частині змінив первісний вигляд.

Особливу цінність являє настінний розпис Софії Київської XI сторіччя — 260 квадратних метрів мозаїк (зображень, набраних із кубиків різнокольорової смальти) і близько 3000 квадратних метрів фресок, виконаних водяними фарбами по сирій штукатурці. Мозаїки і фрески, що збереглися, — це третина всього живопису, який прикрашав у давнину храм. До XVII століття належать перші відомі поновлення фресок Софії, виконані клейовими фарбами. На рубежі XVII — XVIII сторіч усі стіни собору було оштукатурено й побілено. Поверх цього шару протягом XVIII століття стіни покривали олійним розписом. У XIX сторіччі фрески було розкрито, та їх знову поновили олією, в основному зберігаючи при цьому древній малюнок. У тих місцях, де фрески були втрачені, додали нову штукатурку і живопис.

З організацією музею у Софійському соборі проведено великі реставраційні роботи: очищено мозаїки, з фресок знято пізніші олійні нашарування, штукатурку і розпис укріплено. Пізні зображення залишено лише там, де не збереглася древня штукатурка. Тому, окрім мозаїк і фресок XI сторіччя, на стінах собору ми бачимо окремі твори XVII—XVIII століть і роботи XIX сторіччя. Переважно це живопис релігійного змісту, але для нас він цінний своїми художніми достоїнствами — малюнком, колірним вирішенням, композиційними прийомами, передачею внутрішнього світу людини.

Поєднання мозаїк і фресок у єдиному декоративному ансамблі — характерна риса Софії Київської. Барвисті мозаїки прикрашають головну баню і центральну апсиду, привертаючи увагу людини до вівтарної частини храму. На мозаїках зображено основних персонажів християнського віровчення: у зеніті бані в медальйоні — Христос-Вседержитель, навколо нього — чотири постаті архангелів, з яких збереглася мозаїчною лише одна у блакитному вбранні (інші дописані М. Врубелем 1884 року). У простінках барабана — дванадцять апостолів (мозаїчним уцілило частково зображення Павла). На парусах — чотири євангелісти (найбільш повно дійшло до нас зображення Марка). На стовпах передвівтарної арки розміщено сцену „Благовіщення": ліворуч — постать Гавриїла, праворуч — діви Марії. Понад ними на арках виконано зображення мучеників у медальйонах. Над вівтарною аркою добре збереглася мозаїчна композиція „Деісус" („Моління"). У склепінні головного вівтаря — велична шестиметрова постать Оранти; у середньому регістрі апсиди — багатофігурна композиція „Євхаристія" (символічна сцена причащання апостолів), зверху — „Святительський чин" (постаті святителів і архідияконів).

У наборі мозаїк використано переважно смальту—сплав скла з солями й окисами металів, однак зустрічаються також шматочки природного каменю. Кубики смальти (розмір яких у середньому 1 кубічний сантиметр) безпосередньо вдавлювалися на стіні в сиру штукатурку. Дослідники вважають, що над їхнім викладанням працювало вісім художників-мозаїстів (імена невідомі). Мозаїки вирізняються яскравістю і колірною насиченістю. Їхня палітра нараховує 177 відтінків. Третина всієї площі мозаїк — це золоте тло. На ньому виконано зображення переважно у синіх, сіро-білих і пурпурових тонах. Кожен колір має ряд відтінків (червоно-рожевий — 19, синій — 21, зелений — 34, золотий — 25 тощо). Для мозаїк характерні з одного боку — поєднання колірних плям, що сприймаються на великій відстані (сині шати Оранти на золотому тлі, насичений малиновий престол у центрі „Євхаристії" у поєднанні зі світлим сіро-білим убранням апостолів і синіми хітонами на постатях Христа), з другого боку — складне витончене нюансування кольору в передачі облич, складок одягу тощо. У цьому відношенні особливий інтерес викликає зображення Гавриїла з „Благовіщення".

Мозаїки вівтаря і головної бані становлять органічну складову частину єдиного ансамблю розпису Софії, решта якого представлена фресками.

Фрескові зображення якоюсь мірою збереглися в усіх древніх приміщеннях собору, і в першу чергу на стінах центрального підбанного простору (євангельські сцени). У бокових вівтарях — жертовнику і дияконнику — ми бачимо цикли фрескових композицій, що розповідають про діву Марію (вівтар Іоакима та Анни) і про діяння апостола Петра (вівтар Петра і Павла).

Розпис південного вівтаря (Михайлівського) присвячений архангелу Михаїлу, який вважався на Русі покровителем Києва і князівської дружини. Фрески крайнього, північного вівтаря оповідають про святого Георгія — духовного патрона князя Ярослава Мудрого.

Великий інтерес викликає цикл фрескового розпису, що зберігся на хорах. Це сюжети „Зустріч Авраамом трьох подорожніх", „Гостинність Авраама", „Жертвоприношення Ісаака", „Три отроки в пещі огненній", „Тайна вечеря", „Чудо в Кані Галілейській" тощо.

Значне місце в розписах собору займають орнаменти: вони обрамовують віконні та дверні прорізи, підкреслюють лінії арок і склепінь, збігають по пілонах і стовпах, панеллю проходять понад підлогою.

Колірна гама древніх фресок створювалася на поєднанні темно-червоних, жовтих, оливкових, білих тонів та блакитного тла. Для розпису Софії характерна чіткість композиції, виразність образів, барвистість, органічний зв'язок з архітектурою. Весь ансамбль стінопису Софії Київської за своїм змістом був підпорядкований єдиному задуму — пропаганді християнського віровчення й утвердженню феодальної влади. Разом з тим розпис головного храму держави повинен був показати велич Київської Русі, її міжнародне визнання, роль київського князівського дому в політичному житті Європи. Тому в Софії значне місце відведено світським композиціям. На трьох стінах центрального нефу, напроти головного вівтаря, було написано сімейний портрет засновника собору князя Ярослава Мудрого. У центрі цієї величезної композиції містилося зображення Христа з постатями княгині Ольги та князя Володимира. З обох боків до цієї групи підходили Ярослав, його дружина княгиня Ірина, їхні сини й дочки. Очолював процесію Ярослав, який тримав у руках модель собору. Тут Ярослав — будівничий міста і засновник митрополичого храму — виступав як продовжувач справ своєї прабабки Ольги та батька Володимира, які багато зробили для об'єднання слов'янських племен, зміцнення Київської Русі та установлення рівноправних відносин з Візантією та іншими країнами. Члени сім'ї Ярослава також відігравали значну роль у політичному житті Європи: дружина князя була дочкою шведського короля, два його сини були одружені з візантійськими принцесами, дочки були королевами Франції, Норвегії, Угорщини. За словами письменника того часу Іларіона, Русь була „ведома и слышима есть всеми четырьми конци земли".

На жаль, до нашого часу від цієї фрескової композиції уціліли лише постаті дітей Ярослава на південній і частково на північній стінах. Про решту зображень розповідає малюнок голландського художника А. ван Вестерфельда, який бачив фреску в середині XVII століття.

Та ж сама смислова лінія продовжується у розпису двох сходових веж собору. В наш час вчені довели (доктор історичних наук С. О. Висоцький), що фрески веж оповідають про важливу політичну і культурну подію в житті Київської Русі середини X сторіччя — про приїзд до столиці Візантії київської княгині Ольги і про шану, яку виявив їй імператор Костянтин Багрянородний.

У північній та південній вежах живописна оповідь починається знизу і відповідно продовжується в міру сходження вгору.

Фрески північної вежі розповідають про урочистий в'їзд Ольги до Константинополя. Від цієї композиції вціліли лише фрагменти окремих сцен, де зображено імператрицю з почтом та імператора Романа (сина Костянтина Багрянородного) на білому коні. На верхньому майданчику сходів збереглася велика композиція „Княгиня Ольга на прийомі у Костянтина Багрянородного“. Ліворуч — імператор, який сидить у палаці на троні, та два охоронці, озброєні списами і щитами. Праворуч, у центрі, зображено княгиню Ольгу. На її голові — корона, з-під якої на плечі спадає білий прозорий плат. Поруч з Ольгою — жінки з її почту.

Головною композицією південної вежі є фреска „Іподром“, що розповідає про другий прийом княгині імператором — на константинопольському іподромі, де вона була свідком кінних змагань.

У верхній частині вежі добре збереглося зображення палацу іподрому — великої триповерхової споруди з відкритими галереями, де розташувалися глядачі. Праворуч в імператорській ложі сидить імператор Костянтин Багрянородний. Художник переконливо передав його портретні риси — виразні очі, великий ніс з горбочком, бороду. Поруч — княгиня Ольга у світлих шатах, зі складеними на грудях руками. З виставами на іподромі, очевидно, пов'язані фрескові композиції „Акробати“ і „Скоморохи“, де музиканти грають на струнних, ударних і духових інструментах (серед них — пневматичний орган).

На стінах обох веж добре видно орнаменти, символічні малюнки та численні мисливські сцени: „Полювання на ведмедя“, „Боротьба ряджених“, „Полювання на вепра“ тощо. Ці фрески розповідають про побут феодального двора, про мисливський промисел, про тваринний і рослинний світ Київської Русі.

Фрески веж — унікальна пам'ятка середньовічного монументального мистецтва і важливе історичне джерело, що свідчить про культурні зв'язки Київської Русі та Візантії.

Звертає на себе увагу розпис, що зберігся в колишній хрещальні собору, зокрема фрескова композиція XI століття „Сорок севастійських мучеників“. Хрещальнею приміщення стало на рубежі XI — XII сторіч, коли в арку галереї було вбудовано апсиду. Фрески апсиди — „Хрещення“ і постаті святителів — відбивають стилістичні особливості монументального мистецтва того часу.

До нас дійшли чудові пам'ятки древньої пластики — орнаментальні шиферні плити парапетів хор, різьблений мармуровий саркофаг з останками князя Ярослава Мудрого, похованого 1054 року.

В художньому оформленні стародавнього собору велику роль відігравала підлога: в центральній частині вона була мозаїчною, у бокових нефах, на хорах, в усипальні — керамічною, прикрашеною кольоровою поливою. Фрагменти древньої підлоги уціліли до нашого часу.

На стінах собору відкрито давньоруські написи — графіті, продряпані гострим предметом по фресковій штукатурці. Особливу цінність мають графіті, що містять відомості про історичні події та культуру Київської Русі. Унікальним графіто є древня слов'янська азбука, яка проливає світло на історію походження кирилиці. Із творів мистецтва XVIII століття в Софії збереглися різьблений дерев'яний позолочений іконостас, мідні золочені двері у нартексі, окремі фрагменти живопису. Особливою увагою відвідувачів користуються мозаїки, фрески та шиферний рельєф з Михайлівського Золотоверхого собору (початок XII століття), що зберігаються в Софії на другому поверсі. Порівнюючи розписи обох храмів, можна простежити за стилістичними змінами у давньоруському мистецтві за період, що розділяє ці пам'ятки. У михайлівському живописі більше динаміки, різноманітніші пози, пропорції постатей витягнуті, мозаїчна смальта дещо більша за софійську, в палітрі мозаїк переважають зелені тони в поєднанні з фіолетовим, рожевим, сіро-білим.

У розписах помітне підсилення графічного начала, особливо у трактовці убрання. Вважають, що у створенні михайлівського розпису брав участь відомий давньоруський художник Аліпій з Києво-Печерської лаври.

У наш час Софійський собор стоїть серед колишніх монастирських будинків — цінних пам'яток українського зодчества XVIII століття. Поруч з ним височить 76-метрова дзвіниця, покрита багатим ліпленим декором. Своєю святковою архітектурою вона вирізняється серед навколишніх споруд і прикрашає загальний силует міста.

На південь від собору міститься будинок Трапезної, що у XIX сторіччі був перебудований у Теплу церкву. Її своєрідний силует і виразні архітектурні форми характерні для пам'яток української барочної архітектури.

Будинок митрополита — двоповерхова монументальна споруда з пишним барочним фронтоном і художнім декором на фасадах — з часом також змінював свій зовнішній вигляд, однак в основному зберіг форми XVIII століття. Він розташований напроти головного входу до Софійського собору і вважається одним з видатних зразків української цивільної архітектури XVIII сторіччя.

До першої половини XVIII століття належить будівництво хлібні в південно-західному кутку території. У XIX сторіччі будинок цей було реконструйовано і в ньому містилася консисторія. Науково-дослідні роботи допомогли встановити первісні архітектурні форми пам'ятки і визначити її місце в історії вітчизняної архітектури. Поруч з цим будинком розташовано двох'ярусну Південну в'їзну вежу, створену в середині XVIII століття. Пізніше тут зберігалася частина консисторського архіву. Увінчано вежу напівсферичною банею з високим шпилем.

На північ від Софійського собору міститься бурса, збудована у 1763 — 1767 рр. Особливий інтерес викликає обрамлення вікон бурси та ліпний декор у верхній частині пілястр. Тут відчувається вплив російської архітектурної школи XVIII століття. Будинок являє собою цінність як зразок цивільної архітектури.

У 50-х роках XVIII сторіччя на північний захід від Софійського собору було зведено Братський корпус (колишні монастирські келії). З часом будівля змінила свій вигляд. У 1970 році її було реставровано: відремонтовано фасади, відновлено дерев'яну галерею, внутрішнім приміщенням першого поверху повернено архітектурні форми XVIII століття. Стримані форми і дерев'яна галерея, що нагадує твори народного зодчества, надають своєрідності загальному виглядові цієї пам'ятки.

З боку Стрілецького провулка зберігся монастирський мур, збудований у 1745—1746 рр. Такий мур оточував весь монастир у XVIII столітті. У західній частині монастирської огорожі знаходиться Брама Заборовського — одна з найчудовіших пам'яток українського барочного мистецтва. Створив її архітектор Й.-Г. Шедель 1746 року. Брама слугувала західним парадним в'їздом на територію митрополичого подвір'я. Соковите ліплення, що вкриває площину фронтона й арки, свідчить про участь в роботах народних майстрів.

Софійський собор та його пам'ятки архітектури XVIII століття викликають постійний інтерес у туристів і гостей столиці Радянської України — Києва.

Cозданная в далеком XI веке София Киевская во все времена восхищала и продолжает восхищать людей как выдающееся произведение искусства. Еще древнерусский писатель Иларион сказал: „Церкви дивна и славна всем округниим странам...“ Вокруг Софийского собора возвышались патрональные Иринининская и Георгиевская церкви, каменные княжеские и боярские дворцы, деревянные жилища киевлян. Важное градостроительное значение сохранил храм в последующие времена — и после нашествия орд степных кочевников в грозном 1240 году, когда, ограбленный, но уцелевший, он был действующим городским собором; и в XVII веке, когда на его подворье строились деревянные монастырские здания; и в XVIII веке, когда вокруг него вырос ансамбль каменных барочных сооружений, украшающий Киев и в наши дни.

С Софией Киевской связаны многие события политической, общественной и культурной жизни Древней Руси. Здесь происходили торжественные церемонии „посажения“ князя на киевский престол, встречи иностранных послов, заключались договоры о мире между князьями. Здесь находилась первая на Руси библиотека, собранная Ярославом Мудрым, существовала мастерская художников-миниатюристов и переписчиков книг. У стен собора собиралось киевское вече. Значение общественного центра сохранила София и в последующие века. В памятный январский день 1654 года на площади перед собором киевляне приветствовали исторические решения Переяславской рады.

Перестройки XVII—XVIII вв. в корне изменили первоначальный внешний вид памятника, но под поздними барочными наслоениями сохранились конструкции XI века. Основные размеры внутри здания (37×55 метров и высота 29 метров) остались прежними. Однако композиционный замысел и архитектурные формы сооружения были иными. На восточном фасаде выступали пять апсид (что отражало внутреннюю пятинефную структуру), с севера, запада и юга собор окружали два ряда открытых галерей — двухэтажные внутренние и одноэтажные наружные. Здание венчали тринадцать куполов полусферической формы, покрытые свинцом. На западном фасаде возвышались две асимметрично поставленные лестничные башни для подъема на хоры. Восточная оконечность северной галереи представляла собою замкнутое помещение с небольшой апсидой, где находилась великокняжеская усыпальница (здесь стояли каменные саркофаги Ярослава Мудрого, Всеволода Ярославича, Владимира Мономаха и других политических деятелей Древней Руси).

Своеобразную живописность внешнему облику собора придавала открытая кладка стен — ряды темно-красного бутового камня, прослойки тонкого кирпича (плинфы) на розовом цемяночном растворе.

Внутри собора в основном сохранились архитектурные формы XI века. Это — стены основного ядра здания, двенадцать крещатых столбов, делящих внутреннее пространство на пять нефов, столбы и арки галерей, а также тринадцать куполов со световыми барабанами. Главный купол, поставленный на пересечении продольного и поперечного нефов, освещает центральное подкупольное пространство.

В XVIII веке над одноэтажными галереями были надстроены вторые этажи с куполами и заложены открытые арки. Внутри были растесаны окна в стенах собора, на месте древнего входа сделана большая арка. Не сохранились западная двухъярусная тройная аркада в центральной подкупольной части (аналогичная южной и северной) и древние хоры над нею. Поэтому центральное подкупольное пространство, имевшее в древности форму равноконечного креста, в западной части изменило первоначальный вид.

Особую ценность представляют настенные росписи Софии Киевской XI века — 260 квадратных метров мозаик (изображений, набранных из кубиков разноцветной смальты) и около 3000 квадратных метров фресок, выполненных водяными красками по сырой штукатурке. Сохранившиеся мозаики и фрески — это третья часть всей живописи, украшавшей в старину здание. К XVII веку относятся первые известные поновления фресок Софии, выполненные клеевыми красками. На рубеже XVII— XVIII вв. все стены собора были оштукатурены и побелены. Поверх этого слоя на протяжении XVIII столетия стены покрывали масляными росписями. В XIX веке фрески были раскрыты, но их вновь поновили маслом, в основном сохранив при этом древний рисунок. В местах утраты фресок были сделаны добавления штукатурки и живописи.

С организацией музея в Софийском соборе проведены огромные реставрационные работы: очищены мозаики, с фресок удалены позднейшие масляные наслоения, штукатурка и роспись укреплены. Поздние изображения оставлены только там, где не сохранилась древняя штукатурка. Поэтому, кроме мозаик и фресок XI века, на стенах собора мы видим отдельные произведения XVII—XVIII вв. и работы XIX столетия. В основном живопись эта религиозного содержания, но для нас она ценна своими художественными достоинствами — рисунком, цветовым решением, композиционными приемами, передачей внутреннего мира человека.

Сочетание мозаик и фресок в едином декоративном ансамбле — характерная черта Софии Киевской. Сверкающие красочные мозаики украшают главный купол и центральную апсиду, привлекая внимание входящего к алтарной части храма. На мозаиках изображены основные персонажи христианского вероучения: в зените купола в медальоне — Христос-Вседержитель, вокруг него — четыре фигуры архангелов, из которых сохранилась мозаичной только одна в голубом одеянии (остальные дописаны М. Врубелем в 1884 году). В простенках барабана — двенадцать апостолов (мозаичным уцелело частично изображение Павла). На парусах — четыре евангелиста (наиболее полно дошло до нас изображение Марка). На столбах предалтарной арки размещена сцена ,,Благовещение": слева — фигура Гавриила, справа — девы Марии. Над ними на арках выполнены изображения мучеников в медальонах. Над алтарной аркой хорошо сохранилась мозаичная композиция ,,Деисус" (,,Моление"). В своде главного алтаря — величественная шестиметровая фигура Оранты; в среднем регистре апсиды — многофигурная композиция ,,Евхаристия" (символическая сцена причащения апостолов), вверху — ,,Святительский чин" (фигуры святителей и архидиаконов).

В наборе мозаик использована в основном смальта — сплав стекла с солями и окислами металлов, однако встречаются и кусочки природного камня. Кубики смальты (размер которых в среднем 1 кубический сантиметр) вдавливались непосредственно на стене в сырую штукатурку. Исследователи считают, что над их выкладкой работали восемь художников-мозаичистов (имена неизвестны). Мозаики отличаются яркостью и цветовой насыщенностью. Их палитра насчитывает 177 оттенков. Треть всей площади мозаик — это золотой фон. На нем выполнены изображения преимущественно в синих, серо-белых и пурпуровых тонах. Каждый цвет имеет ряд оттенков (красно-розовый — 19, синий — 21, зеленый — 34, золотой — 25 и т.д.). Для мозаик характерны с одной стороны — сочетание крупных цветовых пятен, воспринимаемых на большом расстоянии (синее одеяние Оранты на золотом фоне, насыщенный малиновый престол в центре ,,Евхаристии" в сочетании со светлыми серо-белыми одеяниями апостолов и синими хитонами на фигурах Христа), с другой стороны — сложная тонкая нюансировка цвета в передаче лиц, складок одежды и т.д. В этом отношении интересно изображение Гавриила из ,,Благовещения".

Мозаики алтаря и главного купола являются органичной составной частью единого ансамбля росписи Софии, остальная часть которой представлена фресками.

Фресковые изображения в большей или меньшей степени сохранились во всех древних помещениях собора, и в первую очередь на стенах центрального подкупольного пространства (евангельские сцены).

В боковых алтарях — жертвеннике и диаконнике — мы видим циклы фресковых композиций, рассказывающие о деве Марии (придел Иоакима и Анны) и о деяниях апостола Петра (придел Петра и Павла).

Росписи южного алтаря (Михайловского) посвящены архангелу Михаилу, которого считали на Руси покровителем Киева и княжеской дружины. Фрески крайнего северного алтаря повествуют о святом Георгии — духовном патроне князя Ярослава Мудрого.

Интересный цикл фресковых росписей сохранился на хорах. Это сюжеты „Встреча Авраамом трех странников“, „Гостеприимство Авраама“, „Жертвоприношение Исаака“, „Три отрока в пещи огненной“, „Тайная вечеря“, „Чудо в Кане Галилейской“ и др.

Большое место в росписях собора занимают орнаменты: они обрамляют оконные и дверные проемы, подчеркивают линии арок и сводов, сбегают по плоскостям пилонов и столбов, панелью проходят над полами.

Цветовая гамма древних фресок строилась на сочетании темно-красных, желтых, оливковых, белых тонов и голубого фона. Для росписей Софии характерна четкость композиции, выразительность образов, красочность, органичная связь с архитектурой.

Весь ансамбль стенописи Софии Киевской по своему содержанию был подчинен единому замыслу — пропаганде христианского вероучения и утверждению феодальной власти. Вместе с тем росписи главного храма государства должны были отразить величие Киевской Руси, ее международное признание, роль киевского княжеского дома в политической жизни Европы. Поэтому в Софии большое место отведено светским композициям.

На трех стенах центрального нефа, напротив главного алтаря, был написан семейный портрет основателя собора князя Ярослава Мудрого. В центре этой огромной композиции находилось изображение Христа с фигурами княгини Ольги и князя Владимира. С двух сторон к этой группе подходили Ярослав, его супруга княгиня Ирина, их сыновья и дочери. Возглавлял процессию Ярослав, держащий в руках модель собора. Здесь Ярослав — строитель города и основатель митрополичьего храма — выступал как продолжатель дел своей прабабки Ольги и отца Владимира, которые много сделали для объединения славянских племен, укрепления Киевской Руси и установления равноправных отношений с Византией и другими странами. Члены семьи Ярослава также играли видную роль в политической жизни Европы: супруга князя была дочерью шведского короля, два его сына были женаты на византийских принцессах, дочери были королевами Франции, Норвегии, Венгрии. По словам писателя того времени Илариона, Русь была „ведома и слышима есть всеми четырьми конци земли“.

К сожалению, до наших дней от этой фресковой композиции уцелели лишь фигуры детей Ярослава на южной и частично на северной стенах. Об остальных изображениях рассказывает рисунок голландского художника А. ван Вестерфельда, видевшего фреску в середине XVII века.

Та же смысловая линия продолжается в росписях двух лестничных башен собора. В настоящее время ученые доказали (доктор исторических наук С. А. Высоцкий), что фрески повествуют о важном политическом и культурном событии в жизни Киевской Руси середины X века — о приезде в столицу Византии киевской княгини Ольги и о почете, оказанном ей императором Константином Багрянородным.

И в северной, и в южной башнях живописный рассказ начинается снизу и продолжается соответственно по мере подъема вверх.

Фрески северной башни показывают торжественный въезд Ольги в Константинополь. От этой композиции уцелели лишь фрагменты отдельных сцен, изображающих императрицу со свитой и императора Романа (сына Константина Багрянородного) на белом коне. На верхней площадке лестницы сохранилась большая композиция „Княгиня Ольга на приеме у Константина Багрянородного“. В левой ее части — император, сидящий во дворце на троне, и два телохранителя, вооруженных копьями и щитами. В правой части композиции в центре изображена княгиня Ольга. На голове ее — корона, из-под которой на плечи спадает белый прозрачный плат. Рядом с Ольгой — женщины из ее свиты.

Главной композицией в южной башне является фреска „Ипподром“, рассказывающая о втором приеме княгини императором — на константинопольском ипподроме, где она была свидетельницей конных состязаний.

В верхней части башни хорошо сохранилось изображение дворца ипподрома — большого трехэтажного здания, в открытых галереях которого располагались зрители. Справа в императорской ложе сидит император Константин Багрянородный. Художник убедительно передал его портретные черты — выразительные глаза, большой нос с горбинкой, бороду. Рядом — княгиня Ольга в светлом одеянии, со сложенными на груди руками. С представлениями на ипподроме, по-видимому, связаны фресковые композиции „Акробаты“ и „Скоморохи“, где музыканты играют на струнных, ударных и духовых инструментах (среди них — пневматический орган).

На стенах обеих башен хорошо видны орнаменты, символические рисунки и многочисленные охотничьи сцены: „Охота на медведя“, „Борьба ряженых“, „Охота на вепря“ и др. Эти фрески повествуют о быте феодального двора, об охотничьем промысле, о животном и растительном мире Киевской Руси.

Фрески башен — уникальный памятник средневекового монументального искусства и важный исторический источник, свидетельствующий о культурных связях Киевской Руси и Византии.

Интересные росписи сохранились в бывшей крещальне собора. Здесь обращает на себя внимание фресковая композиция XI века „Сорок севастийских мучеников“. Крещальней помещение стало на рубеже XI—XII веков, когда в арку галереи была встроена апсида. Фрески апсиды — „Крещение“ и фигуры святителей — отражают стилистические особенности монументального искусства того времени.

До наших дней дошли замечательные памятники древней пластики — орнаментальные шиферные плиты парапетов хор, резной мраморный саркофаг, в котором находятся останки князя Ярослава Мудрого, погребенного в 1054 году.

В художественном оформлении древнего собора большую роль играли полы: в центральной части они были мозаичные, в боковых нефах, на хорах, в усыпальнице — керамические, украшенные цветной поливой. Фрагменты древних полов уцелели до настоящего времени.

На стенах собора открыты древнерусские надписи — граффити, процарапанные острым предметом по фресковой штукатурке. Особую ценность имеют граффити, содержащие сведения об исторических событиях и культуре Киевской Руси. Уникальным граффито является древняя славянская азбука, которая проливает свет на историю происхождения кириллицы.

Из произведений искусства XVIII века в Софии сохранились резной деревянный позолоченный иконостас, медные золоченые двери в нартексе, отдельные фрагменты живописи.

Особое внимание посетителей привлекают подлинные мозаики, фрески и шиферный рельеф из Михайловского Златоверхого собора (начало XII века), хранящиеся в Софии на втором этаже. Сравнивая росписи обоих храмов, можно проследить стилистические изменения в древнерусском искусстве за период, разделяющий эти памятники. В михайловской живописи больше движения, разнообразнее позы, пропорции фигур вытянуты, мозаичная смальта несколько крупнее софийской, в палитре мозаик преобладают зеленые тона в сочетании с фиолетовым, розовым, серо-белым. В росписях заметно усиление графического начала, особенно в трактовке одеяний. Считают, что в создании михайловских росписей принимал участие известный древнерусский художник Алипий из Киево-Печерской лавры.

В настоящее время Софийский собор стоит среди бывших монастырских зданий — ценных памятников украинского зодчества XVIII века. Рядом с ним возвышается 76-метровая колокольня, покрытая богатым лепным декором. Своей праздничной архитектурой она выделяется среди окружающих сооружений и украшает общий силуэт города.

К югу от собора находится здание Трапезной, перестроенное в XIX веке в Теплую церковь. Ее своеобразный силуэт и выразительные архитектурные формы характерны для памятников украинской барочной архитектуры.

Дом митрополита — двухэтажная монументальная постройка с пышным барочным фронтоном и художественным декором на фасадах — также изменял свой внешний вид на протяжении времени, однако в основном сохранил формы XVIII века. Здание расположено напротив главного входа в Софийский собор. Дом митрополита является одним из выдающихся образцов украинской гражданской архитектуры XVIII столетия.

К первой половине XVIII века относится строительство хлебни в юго-западном углу территории. В XIX веке здание это было перестроено в консисторию. Научно-исследовательские работы помогли установить начальные архитектурные формы памятника и определить его место в истории отечественной архитектуры.

Рядом с консисторией расположена двухъярусная Южная въездная башня, созданная в середине XVIII века. В XIX столетии здесь сохранялась часть консисторского архива. Венчает башню полусферический купол с высоким шпилем.

Севернее Софийского собора находится здание бурсы, построенное в 1763—1767 гг. Особый интерес представляет обрамление окон бурсы и лепной декор в верхней части пилястр. Здесь ощущается влияние русской архитектурной школы XVIII века. Здание представляет большой интерес как образец гражданской архитектуры.

Братский корпус (бывшие монастырские кельи) построен северо-западнее Софийского собора в 50-х годах XVIII века. На протяжении времени здание изменило свой облик. В 1970 году оно было реставрировано: отремонтированы фасады, восстановлена деревянная галерея, внутренним помещениям первого этажа возвращены архитектурные формы XVIII века. Сдержанные формы и деревянная галерея, напоминающая произведения народного зодчества, придают своеобразность общему виду этого памятника.

Со стороны Стрелецкого переулка сохранилась монастырская стена, возведенная в 1745—1746 гг. Такая стена окружала весь монастырь в XVIII веке. В западной части монастырской ограды находится Брама Заборовского — один из удивительных памятников украинского барочного искусства. Браму создал архитектор И.-Г. Шедель в 1746 году. Она служила западным парадным въездом на территорию митрополичьего двора. Сочная лепка, покрывающая плоскости фронтона и арки, свидетельствует об участии в работах народных мастеров.

Софийский собор и окружающие его памятники архитектуры XVIII века вызывают постоянный интерес у туристов и гостей столицы Советской Украины — Киева.

B uilt in the remote eleventh century, the St. Sophia Cathedral in Kiev never fails to evoke admiration as an outstanding masterpiece of monumental art. Writer of Old Rus Ilarion stated, "A church of wonder and glory, the envy of all the countries far and wide."

The cathedral was surrounded by churches dedicated to the patron saints — St. Irene and St. George — and by the boyars palaces of stone and the wooden dwellings of the ordinary townsmen. The cathedral retained its pivotal role in the subsequent years: looted and devastated after the raids of the steppe nomads in 1240, it was still the central church in Kiev; in the seventeenth century new structures of wood were erected in the cathedral courtyard. In the eighteenth century, the cathedral was surrounded by an ensemble of stone buildings, Baroque in style, which adorn the city even today.

Many events in the political and social life of Kievan Rus were closely associated with the St. Sophia. It was here that the ceremony of anointing and crowning the prince was performed; here, he mounted the Grand Throne of Kiev to receive foreign ambassadors and to conclude trade agreements or peace treaties with other principalities. The first mention of the library collected by Yaroslav the Wise (the first in Old Rus so far as we know) is also associated with the St. Sophia Monastery. Kiev's *veche* (people's assembly) was held in the Sophia's courtyard. During the centuries that followed, the cathedral retained its role as the city's centre. It was here that in January 1654, Kievites approved the historical decisions of the Pereyaslav Rada on the reunification of the Ukraine with Russia.

The reconstruction work carried out in the seventeenth — eighteenth centuries drastically altered the original appearance of the monument. The architectural Baroque modifications made in the later periods conceal the eleventh-century architectural elements and structures. The essential interior dimensions of the structure (37 x 55 metres; the ceiling is 29 metres high) remain unchanged. Yet, the compositional arrangement of architectural members has been altered. The eastern facade boasted five apses, the same as the number of aisles. There were two rows of cloisters, the inner row had two storeyes, while the outer one. They skirted the building from the north, west and south. The cathedral was crowned with thirteen semispherical domes coated with sheet-lead. Two asymmetrical stairway towers on the western front led to the choirlofts. In the eastern part of the north gallery there was a chamber with a small apse which served as a princely burial place. The stone sarcophaguses of the Grand Princes of Kiev once stood here, among them, those of Yaroslav the Wise, Vsevolod Yaroslavich, Vladimir Monomachus and other political figures of Old Rus.

The wall masonry showed alternating layers of dark-red quarry-stone and *plinthoi* separated by a thin layer of pink mortar made of whitewash and crusted brick. This made the structure particularly attractive.

The interior design of the cathedral has remained practically unaltered: the walls and twelve cruciform piers which articulate the interior space into five aisles, the pillars and the arches of the cloisters have remained. Thirteen cupolas with drums have been fully preserved. The main drum is superimposed upon the intersection of the nave and the transept and illuminates the space under the central cupola.

In the eighteenth century, the open two-storeyed cloisters were blocked up, while the single-storeyed cloisters were given a second storey and were crowned with domes. Window openings were cut through the walls, and a large arch replaced the former entrance. The western double-tiered triple-bayed arcading in the central cupola space (similar to the surviving southern and northern ones) and the choirlofts above it have not survived. That is why the space under the central cupola which once had cruciform outlines, changed its shape in its western part.

The St. Sophia Cathedral possesses some 260 sq. m. of mosaics and 3,000 sq. m. of fresco painting dating from the eleventh century. These examples of the ancient art of our people are especially valuable. The mosaics and frescoes that survived represent only one third of the murals which once adorned the cathedral. In the seventeenth century, the missing portions of the St. Sophia murals were filled with size-colour paintings. At the turn of the eighteenth century, the cathedral walls were plastered and whitewashed. Throughout the eighteenth century, new paintings were done in oils upon the plaster cover. In the nineteenth century, the fresco paintings were cleaned and later re-painted in oils, the ancient drawings being preserved for the most part. The missing fragments of the frescoes were replaced with plaster and painting.

As soon as the St. Sophia Cathedral was declared a museum, vast restoration projects were undertaken to clear the mosaics and frescoes of later plastering and overpainting. The art of later periods was preserved only in those sections where the ancient plaster had deteriorated. So apart from the eleventh-century mosaics and frescoes, there are individual works dating from the seventeenth and eighteenth centuries as well as some from the nineteenth. The subject matter of the overwhelming majority of the paintings is based on religious themes. Our contemporaries praise their artistic qualities — line, colour scheme, composition and the skilful psychological renditions.

The harmonious unity of mosaic and fresco compositions is a characteristic feature of mural ornamentation in the St. Sophia Cathedral. The mosaics, distinguished for their bright colours, decorate the central cupola and the central apse to draw the attention of the visitor to the sanctuary section of the cathedral. The principle characters of Christian teaching are represented in the St. Sophia mosaics: at the top of the cupola there is a mosaic representation of Christ Pantocrator set in a medallion and surrounded by four figures of archangels, of whom only one, arrayed in blue, remains as a mosaic. The other three were painted by Vrubel in 1884. In the spaces between the drum windows the twelve apostles are depicted (but only St. Paul has survived as a mosaic). The pendentives are given to a view of the four evangelists, of which the image of St. Mark has been more or less fully preserved. A scene of *The Annunciation* decorates the piers before the chancel. The Archangel Gabriel is to the left and the Virgin Mary, to the right. Over this composition are representations of martyrs set in medallions. Over the central arch *The Deesis* mosaic composition is represented. A majestic six-metre-high image of the Virgin Orans, the madonna in prayer, is to be found in the vault of the chancel, the central space of the apse shows a multifigured composition of *The Eucharist*. The mosaics in the upper row of the apse depict *The Church Fathers Range*.

The mosaics were made of smalto — an alloy of glass, salts and oxidized metals; pieces of natural stone were also used. To achieve the mosaic image, tesserae about one cu. cm. in size were embedded in wet plaster. Specialists presume that eight unknown master mosaicists executed the works. The mosaics in the cathedral are remarkable for their rich and pure tones. The mosaic palette numbers 177 hues and shades. The gold background covers some one third of the mosaic space, and the principle colours of the compositions are blue, off-white and crimson. Every colour has a number of shades: 19 are red; 21 dark-blue; 34 green; and 25 gold. The combination of large patches of colour which can be clearly seen from a distance (e.g., the blue array of the Virgin Orans upon a background of gold, or the deep-purple table in the centre of *The Eucharist* and the off-white garments of the Apostles) is characteristic of the St. Sophia mosaics. On the other hand, the mosaic compositions are distinguished by subtle nuances of colour which help convey facial features or folds of garments. Illustrative of the above-mentioned fact is the representation of the Archangel from *The Annunciation* scene. The mosaics in the chancel and the main cupola are an indispensable part of the artistic unity of both mosaics and frescoes.

Fresco paintings have been more or less preserved in all of the chambers of the cathedral.

The space below the central cupola is decorated with a cycle of scenes from the Gospel. The monumental paintings in the Chapel of Joachim and Anna relate the story of the Virgin Mary. The frescoes in the Chapel of SS. Peter and Paul tell of the acts of the Apostle Peter. The mural paintings in the south chapel are devoted to St. Michael, who was considered the patron of Kiev and of the prince's warriors. The frescoes in the northern chapel relate the life of St. George, the patron saint of Yaroslav the Wise.

In the lofts, an entire cycle of fresco paintings has survived. It includes scenes *Abraham Meets the Three Strangers, Abraham and the Angels, Abraham Offers Up Isaac, The Three Youths in the Fiery Furnace, The Last Supper,* and *The Miracle at Cana.*

A place of importance in the cathedral is taken by ornamental paintings: they frame window and door openings, put emphasis on the curved lines of arches and vaults, adorn the surfaces of columns and pillars and decorate panels above the floor.

The colour palette of the ancient frescoes was based on the combination of dark-red, yellow, olive and white tones depicted against a blue background. The monumental painting in the St. Sophia Cathedral is distinguished for clear-cut composition, expressive images, and vivid colours. It also presents an organic unity with the cathedral's architecture.

Thematically, the murals of the St. Sophia were united by a single conception — the propagation of Christian teaching and the consolidation of feudal power. Apart from this, however, the paintings in the metropolitan's church were to reflect the grandeur of Old Rus, its international authority, and the role of the princely house of Kiev in the political life of Europe. That was why a great number of compositions were of a secular character. The three walls of the nave opposite the chancel were covered with a group portrait of the family of Yaroslav the Wise, founder of the cathedral. The central place in the composition was taken by the image of Christ and the figures of Princess Olga and Prince Vladimir. To the left and to the right there is Yaroslav, his wife Princess Irene, and their sons and daughters. The procession is headed by Yaroslav the Wise who holds a model of the St. Sophia Cathedral in his hand. In this mural, Yaroslav the Wise is represented as the builder of the city and founder of the metropolitan's church, drawing on the traditions established by his great grandmother Princess Olga and his father Prince Vladimir who greatly contributed to the unification of the Slavic tribes, to the consolidation of the Kievan Rus state, and to the establishment of equitable relations with Byzantium and other countries. The members of Yaroslav's family played a role of importance in European political life: the wife of Yaroslav the Wise was a daughter of the Swedish King, two of Yaroslav's sons married Byzantine princesses, and his daughters were queens of France, Norway, and Hungary. According to Ilarion, eminent writer of the time, "The land of Rus was known to the four quarters of the globe." Unfortunately, only the figures of Yaroslav's children on the south and partially on the north wall have survived into our time of what was once a splendid mural composition. The missing parts can be reconstructed according to a drawing of the Dutch painter Abraham van Westerfeldt who saw the fresco in the mid-seventeenth century.

Specialists, among them S. Vysotsky, Dr. Sc. (History), proved that the fresco paintings in the cathedral's towers were devoted to an important political and cultural event of the tenth century — the visit of Kievan Princess Olga to the Byzantine capital, and the honours paid to her by Byzantine Emperor Constantine Porphyrogenitus.

In the northern as well as the southern tower, the murals should be viewed from below as one mounts the stairs to the lofts. The frescoes in the northern tower depict the ceremony of Princess Olga's entry into Constantinople. Only fragments representing the Empress with her retinue and the Emperor Roman, the son of Constantine Porphyrogenitus, riding a white horse have come down to us. In the upper landing of the stairway one can see *Con-*

34

stantine Porphyrogenitus Receives Princess Olga, a large composition that has been fully preserved. The left part of the composition is occupied by the image of the Emperor on his throne surrounded by two body-guards armed with spears and shields. The figure of Princess Olga occupies the right section of the composition. Her headgear consists of a crown and a transparent white kerchief falling onto her shoulders. Beside her are depicted the women from her retinue.

The focal point of the southern tower is *The Hippodrome* mural painting. The scene shows the second reception of Kievan Princess by the Byzantine Emperor at the hippodrome in Constantinople, where Princess Olga was invited to see the chariot races.

In the upper section of the tower, there is a well preserved representation of the hippodrome premises — a large three-storeyed building, the open galleries of which are intended for spectators. In the right part of the composition we see Constantine Porphyrogenitus himself. In this portrait, the artist has successfully conveyed the facial features of the Emperor — expressive eyes, a large aquiline nose and a beard. Princess Olga is depicted arrayed in light beside him. Most likely the other frescoes in the tower are also associated with spectacles at the hippodrome. Among them are *The Acrobats* group painting and *The Buffoons* composition which shows musicians playing string, percussion and wind instruments, including a pipe organ.

The walls in the towers are adorned with various ornaments, symbolic drawings and hunting scenes: *Bear Hunt, Fighting Mummers, Wild Boar Hunt*, etc. These scenes shed light on various aspects of court life, hunting, and the flora and fauna of Old Rus.

The fresco painting in the cathedral towers presents unique samples of monumental art and is an important source of information on the historical and cultural ties of Old Rus and Byzantium.

Interesting murals have been preserved in the former baptistery of the St. Sophia Cathedral. They include an eleventh – century fresco composition *The Forty Martyrs of Sebaste*. This chamber was made a baptistery at the turn of the twelfth century, when an apse was attached to the arch of the cloister. The frescoes preserved in this apse — *Baptism* and the figures of the Church Fathers — are illustrative of the stylistic peculiarities of monumental art of the period.

The ornamental slate slabs making parapets of the lofts as well as the sarcophagus of carved marble where Yaroslav the Wise was interred in 1054 are unique monuments of Old Rus art. A great role in the interior decor of the cathedral was played by the floors: the central part was of mosaic, while the floors in the aisles, on the lofts and in the burial chamber were of ceramic tiles with a coloured slip-glaze finish. A part of the ancient floors has survived into modern times.

Medieval inscriptions (graffiti) have been preserved in many places on the walls of the cathedral. Of special importance are those which provide us with facts about political and cultural life in Kievan Rus. The Old Slavic alphabet has survived among the graffiti on the walls of the St. Sophia Cathedral. It has shed light on the formation of the Cyrillic alphabet. Among works of art dating from the eighteenth century is the gilded iconostasis carved of wood, the gilt copper doors in the narthex, and the fragments of wall painting. Of special interest to visitors are valuable examples of monumental art of the early twelfth century — mosaics, frescoes and slate relief panel from St. Michael's Cathedral of the Golden Domes — which are put on display in the second floor chambers of the cathedral. Comparing the St. Sophia murals with those of St. Michael's, one can trace stylistic changes which had taken place in the monumental art of Old Rus by the twelfth century. In St. Michael's Cathedral murals, the figures are more animated, the postures are varied, and the proportions are more elongated. The mosaic tesserae are larger than in the St. Sophia Cathedral, and dominant tones in the mosaic compositions are green in combination with violet, pink and off-white. The murals in St. Michael's Cathedral stress line. This is especially true of the artists' treatment of the figures' garments. Presumably, eminent artist of Old Rus Alipiy of the Kiev-Pechersk Lavra participated in the painting of murals in St. Michael's Cathedral. Today the St. Sophia Cathedral is surrounded by former monastery buildings which represent valuable examples of eighteenth century Ukrainian architecture. The whole ensemble is dominated by a 76-metre-high Bell Tower richly embellished with stuccowork. It lends an inimitable charm to the city's skyline.

South of the cathedral buildings are the premises of the Refectory, which in the nineteenth century was rebuilt into a heated church — the Little Sophia. The unique outline and expressive form of the building are characteristic of Ukrainian Baroque structures.

The Metropolitan's Residence, a two-storey monumental structure with a Baroque-style pediment, also underwent reconstruction throughout its existence. Yet, it has retained its eighteenth-century form in general. The building is located opposite the main entrance of the St. Sophia cathedral. It is ranked high among other monuments of eighteenth-century Ukrainian architecture.

In the first half of the eighteenth century, the Bakery was built in the south-west section of the cathedral grounds; in the nineteenth century it was made into a Consistory. The research carried out on the building has helped us discover its initial form.

By the Consistory is located the southern two-tiered entrance tower which was erected in the mid-eighteenth century. In the nineteenth century a part of archives documents from the Consistory was kept here. The tower is crowned with a hemispherical cupola which terminates in a spire.

North of the St. Sophia Cathedral is the Church Seminary built in 1763—1767. Of interest are the window surrounds and the stucco moulding on the upper part of the pilasters. These features were definitely borrowed from eighteenth-century Russian architecture.

The building which housed the cells of the cathedral elders is located to the northwest of the cathedral. It was erected in the 1750s. The building has been altered considerably over the years. In 1970 it was restored, and the ground-floor chambers were returned to their initial eighteenth-century arrangement and appearance. Austere forms and a wooden cloister (reminiscent of buildings constructed in the folk style) lend this structure a unique appearance.

Approaching the Cathedral from the direction of Streletsky Lane, one can see a section of the monastery wall erected in 1745—1746 that has survived into our times. In the eighteenth century, such a wall encircled the entire monastery. The western part of the wall incorporates the Zaborovsky Gate, a marvellous structure typical of Ukrainian Baroque. The Gate was erected by architect J.-G. Schädel in 1746. It served as a formal entrance from the west into the metropolitan's courtyard. Profuse stucco molding covering the surfaces of the pediment and the Gate's arch testifies to the fact that folk master-craftsmen took part in the enterprise.

The St. Sophia Cathedral and the surrounding eighteenth-century architectural monuments are of great interest to visitors to the Soviet Ukraine's capital.

Софійський собор у XI ст. Макет. Автори реконструкції Ю. Асєєв, В. Волков, М. Кресальний

Софійський заповідник. XI — XVIII ст. Вид з площі Богдана Хмельницького

38

Софійський собор. Вид з південного сходу

Апсиди Софійського собору

*Трапезна. Західний
фасад. XVIII ст.*

*Будинок митрополита.
Східний фасад.
XVIII ст.*

45

Дзвіниця. Деталі західного фасаду. XVIII ст.

46

Західний фасад дзвіниці. Перший ярус

Пам'ятний знак на честь першої давньоруської бібліотеки. Скульптор І. Кавалерідзе. 1969 р. →

Брама Заборовського. XVIII ст.

Софійський собор.
Інтер'єр. Вид на
головний вівтар

Інтер'єр. Трансепт

Іконостас. XVIII ст.
Фрагмент

52

Інтер'єр. Південний бік хор

54

Інтер`єр. Михайлівський вівтар

Саркофаг Ярослава Мудрого.
Деталь різьблення віка

Склепіння головного
вівтаря. Оранта.
Мозаїка XI ст.

ВЕΤΕΦΑΓΕΤΕΤΟΥΤΟΕΣΤΙΝΤΟΣΩΜΑΜΟΥΤΟΥΠΕΡΥΜΩΝΚΛΩ

„Євхаристія“. Лівий та правий бік

ΤΟΕCΤΙΝΤΟ ΑΙΜΑΜΟΥΤΟ ΤΗC ΚΑΙΝΗC ΔΙΑΘΗΚΗC ΤΟ ΥΠΕΡ ΜΩΝ ΚΑ
Ο ΛΛΩΝ ΕΚΧΥΝΟΜΕΝΟΝ ΕΙC ΑΦ ΕCΙΝ ΑΜΑΡΤ

Головний вівтар. Композиція „Євхаристія".
Центральна частина. Мозаїка XI ст. →

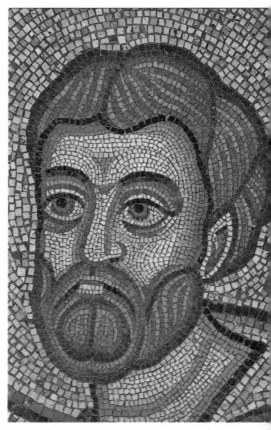

„Євхаристія“. Голова Христа

„Євхаристія“. Апостоли Павел та Марк.
Фрагменти

Головний вівтар. Композиція ,,Святительський чин``.
Василій Великий та архідиякон Лаврентій. Мозаїка XI ст.

,,Святительський чин``. Григорій Ниський. Деталь

*Передвівтарна арка.
Композиція „Благовіщення".
Архангел Гавриїл. Мозаїка
XI ст.*

Фрагмент

72

„Благовіщення". Діва
Марія. Деталі

75

Інтер'єр. Вид на головну баню

Головна баня. Пантократор. Мозаїка XI ст.

Головна баня. Архангел. Мозаїка XI ст.

Барабан головної бані. Апостол Павел. Мозаїка
XI ст. Фрагмент

78

*Передвівтарна арка. Христос-ієрей. Мозаїка
XI ст.*

*Південно-західний парус. Євангеліст Марк.
Мозаїка XI ст.*

ΑΓΙΟΣ ΜΑΡΚ

ΑΡΧ
Η ΤΟΥ ΕΥ
ΑΓΓΕΛΙ
ΟΥ ΙΥ ΧΥ
ΥΟΥ ΤΟΥ ΘΥ

ΓΕΓΡΑ
ΠΤΑΙ ΕΝ
ΤΟΙΣ ΠΡΟ
ΦΗ
ΤΑΙΣ

Головний вівтар.
Композиція „Деісус".
Богоматір. Мозаїка
XI ст. Фрагмент

„Деісус". Христос.
Фрагмент

83

Севастійські мученики Леонтій та Вівіан. Мозаїка XI ст.

84

Севастійські мученики Валерій
та Єверіан. Мозаїка XI ст.

85

Головний вівтар. Аарон. Мозаїка XI ст.

Аарон. Фрагмент

Аарон. Деталь

*Південно-східний парус. Євангеліст Матвей.
Мозаїка XI ст. Деталь*

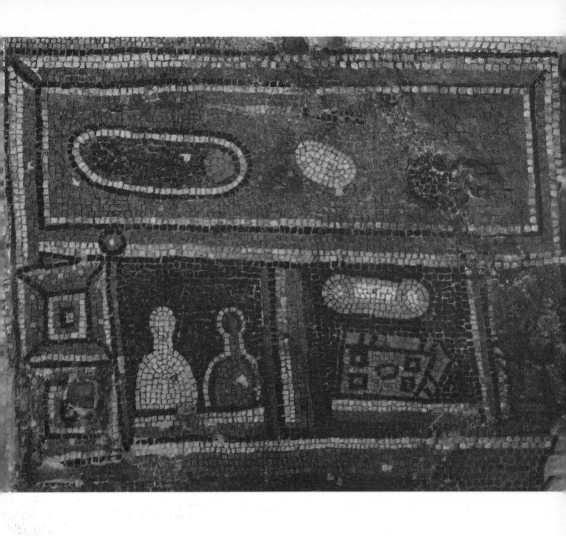

Трансепт. „Зішестя святого духа". Фреска XI ст.

92

*Вівтар Петра і Павла.
Апостоли Павел та
Петро. Фрески XI ст.
Фрагменти*

Вівтар Петра і Павла. Святий Меліпон (?).
Фреска XI ст.

Вівтар Петра і Павла. Іоанн Предтеча.
Фреска XI ст. Фрагмент

Вівтар Іоакима і Анни. Композиція „Благовіщення". Архангел Гавриїл. Фреска XI ст. Фрагмент

„Благовіщення". Діва Марія. Фреска XI ст. Фрагмент

98

Вівтар Іоакима і Анни.

Композиція „Цілування Марії та Єлизавети". Фреска XI ст. Фрагменти

100

Михайлівський вівтар. „Єдиноборство архангела Михаїла з Іаковом". Фреска XI ст.

Михайлівський вівтар. „Явлення архангела Валаамові". Фреска XI ст. Фрагмент

Георгіївський вівтар. Невідома свята. Фреска XI ст.

Георгіївський вівтар. Свята Надія. Фреска XI ст.

105

*Південна внутрішня
галерея. Невідомий
святий. Фреска XI ст.
Фрагмент*

*Центральний неф.
Святий воїн. Фреска
XI ст. Фрагмент*

106

Орнамент. Фреска XI ст.

Георгіївський вівтар. Сцена з житія Георгія. Фреска XI ст. Фрагмент

108

Західна внутрішня галерея.
Свята Євдокія. Фреска XI ст.

Південна внутрішня галерея.
Святий Фока. Фреска XI ст.

111

Південна зовнішня галерея. Святий Домн.
Фреска XI ст. Фрагмент

Північна зовнішня галерея. Святий Адріан.
Фреска XI ст. Фрагмент

112

Південна внутрішня галерея. Григорій Богослов. Фреска XI ст. Фрагмент

Орнамент. Фреска XI ст.

114

Хори. Південно-західна баня. Архангел. Фреска
XI ст.

116

Хори. „Жертвопринесення Ісаака". Фреска XI ст.
Фрагмент

Центральний вівтар.
Сімейний портрет
Ярослава Мудрого. Фреска
XI ст. Фрагмент

118

Північна вежа. „Боротьба ряджених".
Фреска XI ст.

*Північна вежа. „Полювання на ведмедя".
Фреска XI ст.*

Північна вежа.
„Музикант". Фреска XI ст.

Північна вежа. „Імператор
Роман на коні". Фреска
XI ст.

122

*Північна вежа. „Княгиня Ольга на прийомі у
Костянтина Багрянородного". Фреска XI ст.
Фрагменти*

124

Південна вежа. ,,Полювання на вепра''. Фреска XI ст.

Північна вежа. ,,Птах''. Фреска XI ст.   →

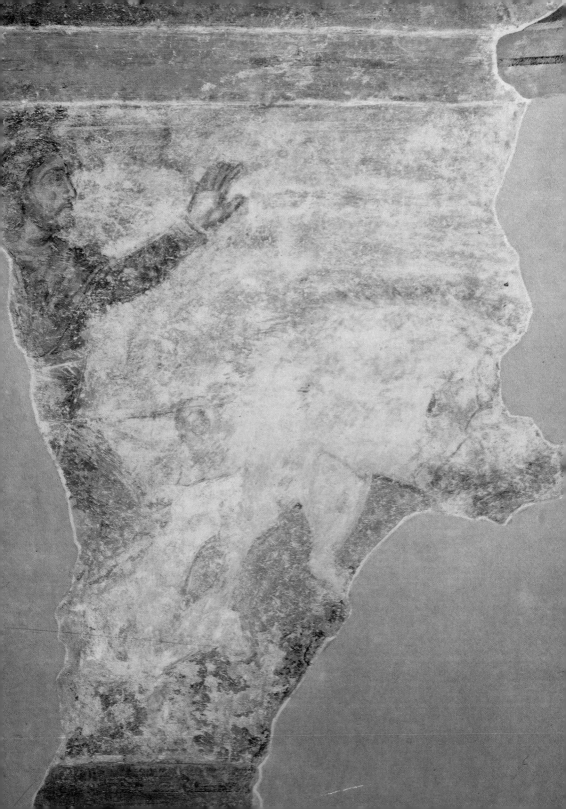

Південна вежа. Фрагменти мисливських сцен: „Гепард", „Лев", „Лютий звір нападає на вершника". Фрески XI ст. →

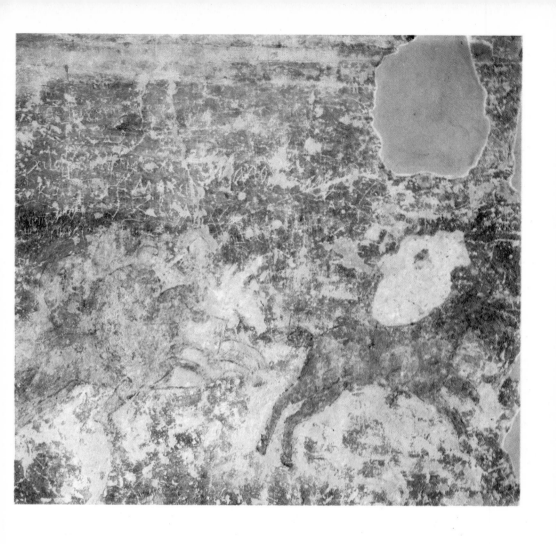

Південна вежа. ,,Полювання на білку". Фреска XI ст. Фрагмент

Південна вежа. ,,Полювання на тарпана". Фреска XI ст.

Південна вежа. Композиція „Скоморохи".
Ліворуч — зображення органа. Фреска XI ст.
Фрагменти

Південна вежа. „Грифон". Фреска XI ст.

Південна вежа. „Людина, що несе кабанячу голову". Фреска XI ст.

→

*Південна вежа. „Іподром".
Фреска XI ст.*

„Іподром".

Княгиня Ольга та імператор Костянтин Багрянородний у ложі

Посольська ложа

138

На наступному розвороті:
„Іподром".
Голова Костянтина
Багрянородного

Голова княгині Ольги

„Іподром". Глядачі

Південна вежа. Орнамент. Фреска XI ст.

143

Хрещальня. Композиція
„Сорок севастійських
учеників".
Фреска XI ст. Фрагмент

Хрещальня.
Композиція
„Хрещення". Фреска
XII ст. Фрагмент

45

Графіто 1054 року про смерть Ярослава Мудрого

„Кінь". Графіто XI ст.

147

Вогняні серафими.
Розпис кінця XVII ст.

148

149

Композиція „Різдво діви Марії". Розпис початку XVIII ст.

Композиція „Чудо в Хонєх". Розпис XVIII ст. Фрагмент

Михайлівський Золотоверхий собор (1108 p.).
Мозаїка XII ст. Композиція „Євхаристія"

152

„Євхаристія". Фрагмент

*Мозаїки XII ст. з Михайлівського Золотоверхого собору.
Святий Стефан і святий Фаддей*

Фреска XII ст. з
Михайлівського
Золотоверхого собору.
Святий Захарія

*Фреска XII ст. з
Михайлівського
Золотоверхого собору.
Композиція
„Благовіщення".
Архангел Гавриїл*

158

„Благовіщення". Діва
Марія

Шиферний рельєф XI ст. з Михайлівського Золотоверхого монастиря

Шиферний рельєф. Деталь

160

Фрагменти мозаїчної підлоги X ст. з Десятинної церкви

Саркофаг княгині Ольги з Десятинної церкви

Макет стародавнього Києва X — XIII ст. Фрагмент →

ЗОЛОТІ ВОРОТА

ЗОЛОТЫЕ ВОРОТА

THE GOLDEN GATES

Золоті ворота в Києві — одна з небагатьох пам'яток оборонного зодчества Київської Русі, що дійшла до нашого часу.

„Город Ярослава" оточували високі земляні вали загальною довжиною 3,5 кілометра. Вони проходили сучасними вулицями центральної частини Києва — від Львівської площі (де знаходилися Львівські ворота) вздовж вулиці Ярославів вал до Золотих воріт, спускалися вулицею Свердлова та Новопушкінською до площі Жовтневої революції (де стояли Лядські ворота) і знову піднімалися вгору до площі Калініна. Золоті ворота були головним в'їздом до Києва. Цей дивовижний витвір давньоруських зодчих — могутня бойова вежа, що завершувалася церквою Благовіщення, — викликав захоплення сучасників і наводив жах на ворогів своєю неприступністю. Час не зберіг пам'ятку. З записів мандрівників XVI — XVII ст., з малюнків А. ван Вестерфельда 1651 року ми знаємо, що на той період Золоті ворота були вже напівзруйнованими. Однак до середини XVIII століття вони були в'їздом до Києва. У 1648 році біля Золотих воріт кияни зустрічали героя національно-визвольної боротьби українського народу Богдана Хмельницького після перемоги під Жовтими Водами, а 1654 року, ознаменованого возз'єднанням України з Росією, через Золоті ворота урочисто в'їхало до Києва російське посольство. Наприкінці XVII — на початку XVIII ст. перед воротами, у зв'язку з реконструкцією фортифікаційних споруд міста, було збудовано земляні бастіони. У середині XVIII століття руїни древніх Золотих воріт були засипані землею і поруч за проектом інженера Д. Дебоскета зведено нові однойменні ворота.

Знову кияни побачили стародавню пам'ятку 1832 року, коли К. Лохвицький провів археологічні розкопки і розкрив залишки Золотих воріт. При цьому було не тільки розчищено проїзд, але й знято рештки земляного валу, що примикав до споруди з обох боків. Після цього ворота набули вигляду двох паралельних стін довжиною 25 і 13 метрів та висотою близько 8 метрів. За участю архітектора В. Беретті було проведено роботи по укріпленню руїн: на окремих ділянках зроблено ремонт древньої кладки цеглою, зведено контрфорси, влаштовано металеві зв'язки, територію навколо залишків пам'ятки огороджено чавунними штахетами. У такому вигляді Золоті ворота збереглися до нашого часу. Однак стародавня кладка від вітру та атмосферних опадів руйнувалася й далі, що надзвичайно тривожило вчених.

У 1970 році було прийнято рішення звести над залишками павільйон, який не тільки захищав би їх, але й відтворював первісний вигляд споруди. Щоб виконати проект реконструкції, необхідно було провести додаткові дослідження Золотих воріт, незважаючи на те, що над їхнім вивченням працювали визначні дореволюційні та радянські вчені — К. Лохвицький, Ф. Солнцев, П. Покришкін, А. Ертель, В. Ляскоронський, В. Богусевич, Ю. Асєєв тощо.

Після ретельного архітектурного та археологічного вивчення руїн у 1972—1973 рр. було визначено древній рівень проїзду, вирахувано первісні висоти арок, уточнено розміри і конструкцію валів та ворітної вежі, місце і план надбрамного храму. Все це дозволило авторській групі дослідників у складі архітектора-реставратора Є. Лопушинської, доктора історичних наук С. Висоцького, архітектора-реставратора М. Холостенка та інженера-конструктора Л. Мандельблата створити проект захисного павільйону, який з достатньою точністю відтворює вигляд Золотих воріт.

Своєрідність і оригінальність консервації залишків воріт полягає в тому, що нові конструкції павільйону зведено незалежно від древньої кладки, яку збережено повністю (з цегляними докладками й металевими зв'язками XIX століття) і яку можна оглянути з усіх боків. Створення павільйону-реконструкції не тільки зберігає пам'ятку від руйнування, але й дає можливість „оживити" ці древні залишки, зробити їх більш зрозумілими для широкого кола людей, показати велич цієї споруди.

Стародавня кладка Золотих воріт особливе враження справляє з боку проїзду. Висота стін, що збереглися, сягає 9,5 метра. Ширина проїзду — 6,4 метра. Всередину проїзду виступають потужні пілястри, на які в давнину спиралися арки склепінь висотою 8,43, 11,12 та 13,36 метра. На лицьовій поверхні стін добре видно декоративні особливості „змішаної" кладки (ряди каменю й цегли-плінфи на цем'янковому розчині).

До стін першої половини XI століття в окремих місцях примикає більш пізня кладка, виконана також у „змішаній" техніці, але вона дещо різниться від первісної товщиною плінфи і кольором розчину. Це сліди ремонту воріт, що був проведений у XII ст. Всередині павільйону добре видно зворотні боки стін проїзду, що примикали у давнину до валу і були позбавлені декоративної обробки кладки. На них видно відбитки колод внутрішньовальних конструкцій, що складалися з великого й малого зрубів, до яких входили 9 клітей, побудованих з товстих колод і заповнених землею. З боку поля перед воротами проходив рів шириною 15 метрів і глибиною 8 метрів. Сліди цього рову можна побачити сьогодні у перепаді рівня Золотоворітського проїзду.

Павільйон-реконструкція відтворює Золоті ворота у такому вигляді: основна частина являє собою вежу з зубцями висотою 14 метрів; з зовнішнього фасаду вежа має додатковий виступ — „малу вежу"; проїзд воріт перекривається з одного боку герсою — підйомними дерев'яними гратами, обкованими металом, з другого — стулками воріт, виконаними за зразком стародавніх врат, що збереглися в пам'ятках Новгорода й Суздаля.

Надбрамну церкву відтворено у вигляді тринефного чотиристовпного однобанного храму, апсиди якого розташовані у товщі стіни і не виступають на фасаді. В архітектурному декорі фасадів використані орнаменти з цегли, властиві для давньоруських будівель того періоду, — меандровий фриз, поребрик тощо. Підлогу храму прикрашено мозаїкою, малюнок якої виконаний за мотивами древньої підлоги Софії Київської.

Під час археологічних досліджень Золотих воріт були виявлені кубики мозаїчної смальти, залишки фрескової штукатурки, фрагменти керамічних глеків, шматки цем'янкового розчину з продряпаними на них малюнками й написами. Ці знахідки свідчать про те, що стародавню надбрамну церкву Благовіщення було прикрашено мозаїкою та фресковим розписом. Для полегшення склепінь використовувалися глеки-голосники, що сприяли поліпшенню акустики. На стінах, як і у Софійському соборі, були написи-графіті.

При реконструкції пам'ятки відтворені відрізки валів, що примикали до вежі. З зовнішнього боку вони мають обдерновані укоси. По верху валу проходять дерев'яні заборола. На торцях умовно показано внутрішньовальні конструкції. З боку міста на фасаді можна побачити складові приміщення, розташовані в давнину в крайніх зрубах валу. Всередині відновлених відрізків валу міститься експозиційне приміщення й сходи, що ведуть на гребінь, звідки видно чудову панораму міста.

Відкриття павільйону-реконструкції „Золоті ворота" було приурочене до святкування 1500-річчя Києва у травні 1982 року.

*Золоті ворота. XI ст.
(до спорудження
павільйону-
реконструкції)*

170

Золотые ворота в Киеве — один из немногих памятников оборонного зодчества Киевской Руси, дошедших до наших дней.

„Город Ярослава“ окружали высокие земляные валы общей протяженностью 3,5 километра. Они проходили по нынешним улицам центральной части Киева — от Львовской площади (где находились Львовские ворота) вдоль улицы Ярославов вал до Золотых ворот, спускались по улице Свердлова и Новопушкинской до площади Октябрьской революции (где стояли Лядские ворота) и снова поднимались вверх к площади Калинина.

Золотые ворота были главным въездом в Киев. Это удивительное творение древнерусских зодчих — мощная боевая башня с возвышавшейся над нею церковью Благовещения — вызывало восторг современников и навевало ужас на врагов своей неприступностью.

Время не пощадило памятник. По записям путешественников XVI—XVII вв., по рисункам А. ван Вестерфельда 1651 года мы знаем, что в тот период Золотые ворота находились уже в полуразрушенном состоянии. Однако вплоть до середины XVIII века они служили въездом в Киев. В 1648 году у Золотых ворот толпы киевлян встречали героя национально-освободительной борьбы украинского народа Богдана Хмельницкого после победы под Желтыми Водами, а в 1654 году, ознаменованном воссоединением Украины с Россией, через Золотые ворота торжественно въехало в Киев русское посольство. В конце XVII — начале XVIII в. перед воротами, в связи с реконструкцией фортификационных сооружений города, были построены земляные бастионы. В середине XVIII века руины древних Золотых ворот были засыпаны землей и рядом по проекту инженера Д. Дебоскета построены новые одноименные ворота.

Вновь киевляне увидели этот памятник в 1832 году, когда К. Лохвицкий провел археологические раскопки и раскрыл остатки Золотых ворот. При этом был не только расчищен проезд, но и сняты остатки земляного вала, примыкавшего к сооружению с обеих сторон. В результате ворота предстали в виде двух параллельных стен длиною 25 и 13 метров и высотою около 8 метров. При участии архитектора В. Беретти были проведены работы по укреплению руин: на отдельных участках сделан ремонт древней кладки кирпичом, возведены контрфорсы, устроены металлические связи, территория вокруг остатков памятника ограждена чугунной решеткой. В таком виде Золотые ворота дошли до наших дней. Однако кладка, открытая ветрам и атмосферным осадкам, продолжала разрушаться, что вызывало постоянную тревогу ученых.

В 1970 году было принято решение возвести над древними руинами павильон, который не только защищал бы их от дальнейшего разрушения, но и воссоздал первоначальный облик памятника. Для выполнения проекта реконструкции необходимо было провести дополнительные исследования Золотых ворот, несмотря на то, что над изучением памятника работали видные дореволюционные и советские ученые — К. Лохвицкий, Ф. Солнцев, П. Покрышкин, А. Эртель, В. Ляскоронский, В. Богусевич, Ю. Асеев и другие.

В 1972—1973 гг. руины Золотых ворот подверглись тщательному архитектурному и археологическому изучению, во время которого был определен древний уровень проезда, рассчитаны первоначальные высоты арок, уточнены размеры и конструкция валов и воротной башни, место и план надвратного храма. Все это позволило авторской группе исследователей в составе архитектора-реставратора Е. Лопушинской, доктора исторических наук С. Высоцкого, архитектора-реставратора Н. Холостенко и инженера-конструктора Л. Мандельблата создать проект защитного павильона, который достаточно точно воссоздает образ этого удивительного памятника оборонного зодчества.

Своеобразие и оригинальность консервации руин ворот состоит в том, что новые конструкции павильона возведены независимо от древней кладки, которая сохранена полностью (с кирпичными докладками и металлическими связями XIX века) и доступна обзору со всех сторон. Созданный павильон-реконструкция сегодня не только предохраняет памятник от разрушения, но дает возможность „оживить" древние руины, сделать их более понятными для широкого круга людей, показать во всей полноте величие этого замечательного сооружения.

Древняя кладка Золотых ворот особое впечатление производит со стороны бывшего проезда. Высота сохранившихся стен достигает 9,5 метра. Ширина проезда — 6,4 метра. Внутрь проезда выступают мощные пилястры, на которые в древности опирались арки свода высотой 8,43, 11,12 и 13,36 метра. На лицевой поверхности стен хорошо читаются декоративные особенности „смешанной" кладки (ряды камня и кирпича-плинфы на цемяночном растворе).

К стенам первой половины XI века в отдельных местах примыкает более поздняя кладка, выполненная также в „смешанной" технике, но несколько отличающаяся от первоначальной толщиной плинфы и цветом раствора. Это следы ремонта ворот, произведенного в XII веке.

Внутри павильона хорошо видны обратные стороны стен проезда, примыкавшие в древности к валу и лишенные декоративной отделки кладки. На них видны отпечатки бревен внутривальных конструкций, которые состояли из большого и малого срубов, включающих 9 клетей, сложенных из толстых бревен и наполненных землей. Со стороны поля перед воротами проходил ров шириной 15 метров и глубиной 8 метров. Следы этого рва читаются сейчас в перепаде уровня Золотоворотского проезда.

Павильон-реконструкция воссоздает Золотые ворота в следующем виде: основная часть представляет собою башню с зубцами высотою 14 метров; с внешнего фасада башня имеет дополнительный выступ — „малую башню"; проезд ворот перекрывается с одной стороны герсой — подъемной деревянной решеткой, окованной металлом, с другой — створками ворот, выполненными по образцу древних врат, сохранившихся в памятниках Новгорода и Суздаля.

Надвратная церковь воссоздана в виде трехнефного четырехстолпного одноглавого храма, апсиды которого устроены в толще стены и не выступают на фасаде. В архитектурном декоре фасадов использованы орнаменты из кирпича, характерные для древнерусских построек того периода, — меандровый фриз, поребрик и др. Полы храма украшены мозаикой, рисунок которой выполнен по мотивам древних полов Софии Киевской. Во время археологических исследований Золотых ворот были обнаружены кубики мозаичной смальты, куски фресковой штукатурки, фрагменты керамических сосудов, куски цемяночного раствора с процарапанными на нем рисунками и надписями. Эти находки свидетельствуют о том, что древняя надвратная церковь Благовещения была украшена мозаикой и фресковой росписью. Для облегчения сводов использовались кувшины-голосники, улучшавшие акустику. На стенах, как и в Софийском соборе, имелись надписи-граффити.

При реконструкции памятника воссозданы примыкающие к башне отрезки валов. С внешней стороны они имеют одернованные откосы. По верху вала проходят деревянные заборола. На торцах условно показаны внутривальные конструкции. Со стороны города на фасаде можно увидеть складские помещения, расположенные в древности в крайних срубах вала. Внутри восстановленных отрезков вала находится экспозиционное помещение и лестница, ведущая на гребень, откуда открывается прекрасный вид на город.

Открытие павильона-реконструкции „Золотые ворота" было приурочено к празднованию 1500-летия Киева в мае 1982 года.

Золоті ворота. Колишня проїзна частина

The Golden Gates of Kiev is one of the few architectural monuments reflecting the art of fortification in Kievan Rus which have survived into modern times.

"The town of Yaroslav" was surrounded by high earthen rampart some 3.5 kilometres long. It ran along the present-day streets of downtown Kiev starting at Lvov Square (where the Lvov Gates were located) along Yaroslavov Val Street to the Golden Gates, down Sverdlov and Novopushkinskaya Streets to the present-day October Revolution Square, where the Lyadskiye Gates once stood, and then again up the hills to what is now Kalinin Square.

The Golden Gates were the main entrance into Kiev. Erected by builders of Old Rus, this unique structure was a combination of defensive tower and church. This impregnable fortress provoked the admiration of contemporaries and inspired enemies with awe.

The Gates did not escape the ravages of time. The written testimony of travellers during their sojourns in Kiev in the sixteenth—seventeenth centuries as well as drawings made by Abraham van Westerfeldt in 1651 testify to the fact that during this period, the structure was in a state of neglect. Still, up to the mid-eighteenth century, the Golden Gates served as the entrance way into Kiev. It was at the Golden Gates that Kievites welcomed Bogdan Khmelnitsky, hero of the Ukrainian people's national-liberation struggle who won the victory at the town of Zhovty Vody in 1648. In 1654, the year of the reunification of the Ukraine with Russia, it was through the Golden Gates that the Russian ambassadors ceremoniously entered Kiev. In the late seventeenth-early eighteenth century earthen bastions were constructed in front of the Gates in accordance with the plan for reconstruction of the city's fortifications.

In the mid-eighteenth century, following engineer Debosquet's design, the remnants of the ancient Golden Gates were buried in earth and replaced with new ones.

The ruins of the ancient memorial were uncovered by K. Lokhvitsky in 1832, when during archeological excavations, the passage way was cleared and what was left of the earthen rampart adjoining the structure from both sides was done away with. As a result, of the monument two parallel walls (25 and 13 metres long and about 8 metres high) were preserved. Later, work was carried out under the supervision of V. Beretti with the intention of reinforcing the ruins: the old masonry was repaired with new brickwork; flying buttresses were erected, and the territory around the Gates was enclosed in a fence of wrought iron. With time, however, the ancient masonry, exposed to wind and precipitation, further deteriorated.

In the 1970s, a plan was approved which envisaged the construction of a protective pavilion which would prevent the Gates from further destruction and at the same time re-construct the initial appearance of the monument.

To carry out the project, much preliminary research had to be done, for little information on the structure was available in spite of the fact that many pre-revolutionary and Soviet scientists had carried out the research, among them were K. Lokhvitsky, F. Solntsev, P. Pokryshkin, A. Ertel, V. Layskoronsky, V. Bogusevich, Yu. Aseyev, to mention but a few. In 1972—1973, detailed archeological and architectural research was conducted. As a result, the ancient level of the passage way was defined, the initial hight of the arches on the basis of the surviving pilasters was calculated; the structure of the ramparts and the plan of the church was ascertained.

According to this research, the design of a protective pavilion was worked out which recreated the ancient appearance of the structure. The project was elaborated by architect-restorer Ye. Lopushinskaya, S. Vysotsky, Dr. Sc. (History), architect-restorer N. Kholostenko and engineer L. Mandelblat.

The specific method of conservation consists in the fact that the new structures of the pavilion have been erected independent of the ancient masonry, which, in this fashion is spared the burden of additional weight. The ancient structures (including nineteenth-century brickwork and joins of metal) have been fully preserved and can be viewed from all directions. The protective pavilion thus preserves this memorial of ancient architecture and at the same time re-creates its original appearance, showing the grandeur and majesty of this marvellous structure.

The ancient masonry of the Golden Gates looks especially impressive from the direction of the passage way. The height of the walls that survived reaches some 9.5 metres, while the passage way is 6.4 metres wide. The pilasters (8.43; 11.12; 13.36 metres high) which once supported the arched vault project inside the passage way. The wall surfaces are illustrative of the decorative peculiarities of the "mixed" masonry, where bands of stone and *plinthoi* alternate with wide strips of mortar.

The walls erected in the first half of the eleventh century are adjoined to wall masonry of a later period, also executed using the "mixed" technique. Compared with the earlier masonry, it differs in thickness of *plinthoi* and colour of mortar. These are the traces of the restoration work done in the twelfth century.

Inside the pavilion one can clearly see the reverse sides of the passage way which in the times of old were adjacent to the rampart; therefore the masonry here lacked decorative details. The walls in this passage way show the imprints of the wooden logs of which the inner reinforcement structures were built. The rampart, in its turn, was surrounded by a moat 15 metres wide and 8 metres deep.

The reconstructed pavilion of the Golden Gates is a crenellated tower fourteen metres in hight. When viewed from the facade, an additional projection, the so-called "minor or small tower" can be seen. The entrance way is shielded on one side by a metal-covered porticullis of wood and on the other side by doors patterned after the ancient gates that survived in the churches of Novgorod and Suzdal.

The Gate Church of the Annunciation is re-created as a three-aisled, four-piered, single-domed structure. The church apses are incorporated by the wall and do not project from the front. The architectural decor of the church facades includes patterned brickwork or meandering brick ornamentation on the frieze and is characteristic of the Old Rus structures of the time. The church floors are adorned with mosaic designs patterned after those in the St. Sophia Cathedral.

During archeological research and excavations carried out at the Golden Gates, tesserae cubes, sections of fresco plaster, fragments of ceramic vessels and lumps of mortar with graffiti inscriptions and drawings were found. These finds testify to the fact that the Church of the Annunciation was lavishly adorned with mosaics and fresco painting. To improve the acoustics in the church and lighten the structural weight, hollow clay jugs were inserted into the church vaults. On the walls of the structure inscriptions reminiscent of those in the St. Sophia Monastery were made.

During the monument's reconstruction, the sections of the earthen rampart adjacent to the Gates were re-created as well. The slopes of the rampart are laid with turf, and the butt ends show the inner structure of the fortifications. In the times of old, warehouses were incorporated into the rampart. Today, sections of the reconstructed rampart house an exhibition hall and a stairway leading to the crest from which an excellent view of the city can be had.

The structure re-creating the initial appearance of this unique architectural monument which was part of the city's fortifications has made the city's centre even more beautiful.

The opening of the Golden Gates pavilion was scheduled to coincide with the celebration of the 1,500th anniversary of the foundation of Kiev in May 1982.

Золоті ворота. Павільйон-реконструкція. 1982 р.

Сучасний вигляд всередині колишнього проїзду.

Інтер'єр. Дозорна галерея

Інтер'єр надбрамної церкви. Баня

КИРИЛІВСЬКА ЦЕРКВА

КИРИЛЛОВСКАЯ ЦЕРКОВЬ

ST. CYRIL'S CHURCH

Кирилівську церкву було збудовано в середині XII століття на далекій околиці стародавнього Києва – Дорогожичах. Звідси засновник церкви чернігівський князь Всеволод Ольгович 1139 року взяв штурмом Київ під час міжусобної боротьби за київський престол. Для представників династії Ольговичів храм був заміською резиденцією і родовою усипальнею. В 1194 році тут було поховано київського князя Святослава — героя давньоруської поеми „Слово о полку Ігоревім".

За час свого існування Кирилівська церква знала періоди запустіння, ремонти, поновлення. У 1748 — 1760 рр. на її території за участю відомого українського зодчого І. Григоровича-Барського були зведені кам'яні монастирські будівлі, від яких до нашого часу збереглася лише частина муру з наріжною вежкою. В результаті змін XVII — XVIII ст. древня Кирилівська церква набула сучасного зовнішнього вигляду з характерними рисами української барочної архітектури.

У 60-х роках XIX століття Кирилівська церква стає в центрі уваги громадськості: під штукатуркою XVIII сторіччя на її стінах було знайдено фресковий розпис XII століття. У 1881 — 1884 рр. під керівництвом професора А. Прахова в храмі провадяться величезні роботи по розчищенню фресок і поновленню стінопису. В них брали участь викладачі й учні Київської малювальної школи — М. Мурашко, І. Селезньов, М. Пимоненко, Х. Платонов, І. Їжакевич, С. Гайдук, Ф. Зозулін тощо. У 1884 році тут працював Михайло Врубель. На вимогу церкви відкриті древні фрески були знову переписані олійними фарбами. Тоді ж було встановлено мармурові парапети хор та іконостас.

У травні 1929 року Кирилівську церкву було оголошено Державним історико-культурним музеєм-заповідником. Тут розпочалися дослідні роботи, які були перервані Великою Вітчизняною війною.

У повоєнний час у храмі провадилися великі протиаварійні роботи по зміцненню стін і фундаментів, що деформувалися через руйнування древніх підземних ходів. Тільки після цього було продовжено архітектурно-археологічні дослідження, розчищення й реставрацію живопису. Музей знову відкрив свої двері для відвідувачів.

Архітектура Кирилівської церкви добре збереглася з XII століття. Перебудови XVII — XVIII ст. виявилися в перекладці частини склепінь, зведенні чотирьох бічних бань та пишного фронтону над входом, оздобленні вікон і порталів ліпним декором. Древні архітектурні форми чітко вирізняються під цими добудовами. Це була тринефна триапсидна шестистовпна однобанна споруда, витягнута по осі захід — схід. Її розміри — 31 × 18,4 метра, висота — 28 метрів. Стародавнє закомарне покриття не збереглося. Декор фасадів складався з аркатурного пояска у верхній частині стін, барабана й легких напівколонок на барабані та апсидах. Стіни зовні, мабуть, були поштукатурені, укоси вікон і портали прикрашав фресковий розпис. Складено будову в техніці порядкової кладки на вапняно-цем'янковому розчині.

Центральний підбанний простір храму — високий, вільний, добре освітлений, з хорами у західній частині — контрастував з іншими приміщеннями: напівтемним нартексом з нішами-аркосоліями для гробниць, хрещальнею, вузькими сходами на хори у товщі північної стіни, невеличкою молитовнею на хорах. Особливістю храму були маленькі бокові хори перед південною апсидою, куди вели сходи у товщі стіни вівтаря.

Стіни Кирилівської церкви покрито живописом — фресками XII століття, розкритими з-під олійних записів, окремими фрагментами темперного розпису XVII сторіччя та олійними роботами XIX століття на ділянках, де фрески не збереглися. Від древніх фресок, що прикрашали все приміщення храму, залишилося близько 800 квадратних метрів розписів, які являють собою цінні художні твори періоду Древньої Русі.

У підбанній частині збереглися зображення апостолів у барабані, євангелістів на парусах, напівпостаті мучеників у медальйонах на попружних арках. У вівтарі — „Євхаристія“, під нею — зображення святителів. На стовпах передвівтарної арки — „Благовіщення“, „Стрітення“ й монументальні постаті апостолів Петра й Павла. У центральному нефі важливе місце займають зображення святих воїнів, що, напевно, відповідало запитам феодальної знаті в епоху жорстоких міжусобиць. На двох стінах трансепта — багатофігурні композиції „Успіння богоматері“ й „Різдво Христа“. Серед фресок — численні постаті пророків, стовпників, мальовничі орнаменти. На стінах і склепіннях нартекса збереглася композиція „Страшний суд“, яка, починаючи з XII століття, була поширена у давньоруському стінопису. Церковники й феодали використовували її для соціального пригноблення трудящих і прищеплення їм думок про смирення й покірливість.

Для фресок Кирилівської церкви характерне поєднання великих колірних плям — білих, рожевих, блакитних, оливкових. Розпису властива виражена графічність. Вирішуючи площинно вбрання постатей, майстри робили акцент на обличчя, створюючи образи виняткової виразності (наприклад, постаті святителів у північній апсиді). Багатством колориту та великою кількістю життєвих деталей відзначаються сцени з „Житія Кирила Александрійського“ у південній апсиді. Багато зображень, наприклад фреска „Ангел, що звиває небо“, позначені сміливістю композиційних засобів. Кирилівські фрески — один з найцікавіших живописних ансамблів XII сторіччя у давньоруському мистецтві.

З темперного розпису XVII століття зберігся чудовий портрет ігумена Інокентія Монастирського — відомого дипломата і громадського діяча, написаний на пілоні південного нефа. Портрет є цінною пам’яткою українського портретного живопису того часу.

Серед олійного розпису, виконаного під час реставрації у XIX сторіччі, особливе місце належить роботам відомого російського художника Михайла Врубеля, у яких виявився його могутній талант монументаліста і новатора-колориста. Один з найсильніших його творів у храмі — „Зішестя святого духа“, що займає склепіння хор. У зображеннях апостолів художник з надзвичайною силою передав складність людських почуттів, створив галерею портретів з глибокою психологічною характеристикою. Тут же на хорах Врубелем виконані „Ангели з лабарами“, напівпостать Христа, голови пророків Моїсея і Соломона. У ніші нартекса художник написав „Надгробний плач“. Побудована на контрасті плавних рухів трьох ангелів, які похилилися у скорботі, й нерухомості тіла Христа, на поєднанні холодного зеленувато-сірого та напружених вохристих тонів, ця сцена вражаюче передає глибину людського горя.

Для мармурового іконостаса, виконаного за ескізами А. Прахова, Врубель написав у Венеції ікони „Афанасій“, „Богоматір“, „Христос“ і „Кирило“. Ці твори відзначаються образністю, глибоким реалізмом і високою живописною майстерністю. Найбільш вдалася художникові „Богоматір“. У бездонних очах цієї тендітної молодої жінки, одягненої у дорогі шати, стільки страждання й тривоги за долю сина, що вона сприймається як втілення материнської скорботи і стоїть у ряду кращих жіночих образів, створених художником. Кирилівський розпис та ікони стали важливою віхою у творчій біографії Михайла Врубеля і в історії вітчизняного монументального живопису XIX сторіччя.

Древня архітектура Кирилівської церкви, її чудовий настінний розпис ваблять до цієї пам’ятки тисячі гостей Києва. Тут провадяться концерти давньоруської музики у грамзапису, виступають артисти філармонії.

*Кирилівська церква. XII —
XVIII ст.*

Деталі фасадів

187

Кирилловская церковь была построена в середине XII века на далекой окраине древнего Киева — Дорогожичах. Отсюда основатель церкви черниговский князь Всеволод Ольгович в 1139 году взял штурмом Киев в ходе междоусобной борьбы за великий киевский престол. Для представителей династии Ольговичей храм служил загородной резиденцией и фамильной усыпальницей. В 1194 году здесь был погребен киевский князь Святослав — герой древнерусской поэмы „Слово о полку Игореве". За время своего существования Кирилловская церковь знала периоды запустения, ремонты, поновления. В 1748—1760 гг. здесь при участии известного украинского зодчего И. Григоровича-Барского были построены каменные монастырские здания, от которых до наших дней сохранилась лишь часть ограды с угловой башенкой. После перестроек XVII—XVIII вв. древняя Кирилловская церковь получила современный внешний облик с характерными чертами украинской барочной архитектуры. В 60-е годы XIX века Кирилловская церковь становится в центре внимания общественности: под штукатуркой XVIII века на ее стенах были обнаружены фресковые росписи XII века. В 1881—1884 гг. под руководством профессора А. Прахова в храме проводятся огромные работы по расчистке фресок и поновлению стенописи. В них принимали участие преподаватели и ученики Киевской рисовальной школы — Н. Мурашко, И. Селезнев, Н. Пимоненко, Х. Платонов, И. Ижакевич, С. Гайдук, Ф. Зозулин и др. В 1884 году здесь работал Михаил Врубель. По требованию церкви открытые древние фрески были вновь переписаны масляными красками. Тогда же были установлены мраморные парапеты хор и иконостас.

В мае 1929 года Кирилловская церковь была объявлена Государственным историко-культурным музеем-заповедником. Здесь развернулись исследовательские работы, прерванные Великой Отечественной войной. В послевоенное время в храме проводились большие противоаварийные работы по укреплению стен и фундаментов, деформировавшихся из-за разрушения древних подземных ходов. Только после этого были продолжены архитектурно-археологические исследования, расчистка и реставрация живописи. Музей вновь открыл свои двери для посещения.

Архитектура Кирилловской церкви хорошо сохранилась с XII века. Перестройки XVII—XVIII вв. выразились в основном в перекладке части сводов, достройке четырех боковых куполов, возведении пышного фронтона над входом, оформлении окон и порталов лепным декором. Древние архитектурные формы четко читаются под этими достройками.

Это было трехнефное трехапсидное шестистолпное однокупольное здание, вытянутое по оси запад—восток. Его размеры $31 \times 18,4$ метра, высота 28 метров. Древнее закомарное покрытие не уцелело. Декор фасадов состоял из аркатурного пояска в верхней части стен, барабана и легких полуколонок на барабане и апсидах. Стены снаружи, по-видимому, были оштукатурены, откосы окон и порталы украшали фресковые росписи. Сложено здание в технике порядовой кладки на известково-цемяночном растворе.

Центральное подкупольное пространство храма — высокое, свободное, хорошо освещенное, с хорами в западной части — контрастировало с остальными помещениями: полутемным нартексом с нишами-аркосолиями для гробниц, крещальней, узкой лестницей на хоры в толще северной стены, небольшой молельней на хорах. Особенностью храма были маленькие придельные хоры перед южной апсидой, куда вела лестница в толще стены алтаря.

Стены Кирилловской церкви покрыты живописью — фресками XII века, раскрытыми из-под масляных записей, отдельными фрагментами темперной росписи XVII века и масляными работами XIX века на участках, где фрески не сохранились.

От древних фресок, украшавших все помещения храма, осталось около 800 квадратных метров росписей, представляющих собой ценные художественные произведения периода Древней Руси.

В подкупольной части сохранились изображения апостолов в барабане, евангелистов на парусах, полуфигуры мучеников в медальонах на подпружных арках. В алтаре — „Евхаристия", под нею — святители. На столбах предалтарной арки — „Благовещенье", „Сретенье" и монументальные фигуры апостолов Петра и Павла. В центральном нефе важное место занимают изображения святых воинов, что, вероятно, отвечало запросам феодальной знати в эпоху жестоких междоусобиц. На двух стенах трансепта — многофигурные композиции „Успение богоматери" и „Рождество Христа". Среди фресок — многочисленные фигуры пророков, столпников, красочные орнаменты. На стенах и сводах нартекса сохранилась композиция „Страшный суд", которая, начиная с XII века, получила распространение в древнерусской стенописи. Она использовалась церковниками и феодалами для социального угнетения трудящихся, для внушения им мыслей о смирении и покорности.

Для фресок Кирилловской церкви характерно сочетание крупных цветовых пятен — белых, розовых, голубых, оливковых. Росписям присуща выраженная графичность. Решая плоскостно одеяния фигур, мастера делали акцент на лица, создавая образы исключительной выразительности (например, фигуры святителей в северной апсиде). Богатством колорита и изобилием жизненных деталей отличаются сцены из „Жития Кирилла Александрийского" в южной апсиде. Многие изображения, например фреска „Ангел, свивающий небо", отмечены смелостью композиционных приемов. Кирилловские фрески — один из самых интересных живописных ансамблей XII века в древнерусском искусстве.

Из темперных росписей XVII века сохранился замечательный портрет игумена Иннокентия Монастырского — известного дипломата и общественного деятеля, написанный на пилоне южного нефа. Портрет является ценным памятником украинской портретной живописи того времени.

Среди масляной росписи, выполненной во время реставрации в XIX веке, особое место занимают работы известного русского художника Михаила Врубеля, в которых проявился его могучий талант монументалиста и новатора-колориста. Одно из самых сильных его произведений в храме — „Сошествие святого духа", занимающее свод хор. В изображениях апостолов художник с необычайной силой передал сложность человеческих чувств, создал галерею портретов с глубокой психологической характеристикой. Здесь же на хорах М. Врубелем исполнены „Ангелы с лабарами", полуфигура Христа, головы пророков Моисея и Соломона. В нише нартекса художник написал „Надгробный плач". Построенная на контрасте плавных движений трех скорбно склонившихся ангелов и неподвижности тела Христа, на сочетании холодного зеленовато-серого и напряженных охристых тонов, эта сцена поразительно передает глубину человеческого горя.

Для мраморного иконостаса, выполненного по эскизам А. Прахова, М. Врубель написал в Венеции иконы „Афанасий", „Богоматерь", „Христос" и „Кирилл". Эти произведения отличаются образностью, глубоким реализмом и высоким живописным мастерством. Наиболее удалась художнику „Богоматерь". В бездонных глазах этой хрупкой молодой женщины, одетой в дорогие ткани, столько страдания и тревоги за судьбу сына, что она воспринимается как олицетворение материнской скорби и стоит в ряду лучших женских образов, созданных Врубелем.

Древняя архитектура Кирилловской церкви и ее замечательные настенные росписи делают этот памятник одним из самых ценных и интересных музеев страны. Здесь проводятся концерты древнерусской музыки в грамзаписи, выступают артисты филармонии. ·

Північний фасад

190

St. Cyril's Church was built near Dorogozhichi in the environs of ancient Kiev in the mid-twelfth century. It was from here that Prince Vsevolod Olgovich of Chernigov sent his warriors to seize the city, and, in 1139, in the course of internecine wars, he won and mounted the Grand Throne of Kiev. The church served as an out-of-town residence and the burial place for the Olgovichi princes. In 1194, Kievan Prince Svyatoslav, a hero of the Old Rus epic *The Lay of Igor's Host*, was interred here.

Throughout its existence, St. Cyril's Church has undergone periods of deterioration, and several times the structure has been repaired and modified architecturally. From 1748—1760, stone monastery buildings were erected near the church under the supervision of Ukrainian architect Ivan Hrihorovich-Barsky. Only a section of the wall with a corner tower has survived of them from the eighteenth century into modern times. As a result of the alterations and reconstructions carried out in the seventeenth and eighteenth centuries, the ancient St. Cyril's Church was given its present-day architectural form obviously dominated by Ukrainian Baroque.

In the 1860s, twelfth-century fresco paintings were discovered on the walls under the eighteenth century plaster, and in 1881—1884 extensive work to restore the murals was carried out under the supervision of Professor A. Prakhov. Engaged in the restoration were teachers and students of the Drawing School of Kiev, among them N. Murashko, I. Seleznyov, N. Pimonenko, Kh. Platonov, I. Izhakevich, S. Haiduk, F. Zozulin, to mention but a few. In 1884, the eminent Russian painter Mikhail Vrubel took part in the restoration works. At the request of the church authorities, the ancient frescoes were re-painted in oil by Vrubel. During the same period, choir parapets of marble and an iconostasis designed by Prakhov were installed in the church.

In May 1929, St. Cyril's Church was proclaimed a museum. Extensive research was begun there which, unfortunately, was halted by the outbreak of World War Two.

In the post-war period, work was carried out to reinforce the walls and foundation which had been deformed as a result of damage done by an ancient underground passage. Later, the restoration in the church was recommenced, and the museum was opened to the general public.

The twelfth-century architecture of St. Cyril's Church has survived into our times with scarcely any alterations. The renovations in the seventeenth and eighteenth centuries consisted mainly of rebuilding a few sections of the vaults, the addition of four lateral domes, a lavishly decorated pediment, and decorative window and door surrounds. The ancient architectural forms are easily discernible in spite of these later modifications.

This single-domed church was designed as a three-aisled and six-piered structure with three apses running from west to east. Its dimensions were 31 x 18.4 metres, and the ceiling was 28 metres high. The blind arcading has not been preserved. The facades were sparsely decorated with an ornamental band which ran along the upper part of the walls, around the drum and the semi-columns of the drum.

Most likely, the exterior walls were plastered. The splay sides of the windows and the doors were adorned with fresco paintings. The old building technique was employed in the construction of the church — bricks and stone were laid with a mortar of slaked lime mixed with crushed burnt brick.

The space under the cupola is large and well-lit. In the western section was a loft. Opposed to this air-and-light-filled space, the narthex with the niches for sepulchres and a baptistery was dark, while the narrow stairways to the lofts were incorporated into the thickness of the northern wall. The lofts in the chancel before the southern apse were a peculiar feature of the architectural design of the church. They could be reached by means of a stairway in the wall of the sanctuary.

The walls of St. Cyril's Church are covered by twelfth-century frescoes cleared of the later oil overpainting, and fragments of eighteenth-century tempera painting and nineteenth-century oil murals which replaced the missing ancient frescoes.

Some 800 sq. m. of original painting illustrating Old Rus murals have come down into modern times. On the walls the figures of the apostles (in the drum), the evangelists (in the pendentives), and half-figures of martyrs (set in medallions on the flying buttresses) have survived. The sanctuary contains *The Eucharist* composition. Beneath it, the Church Fathers are represented. The pillars of the arch in front of the chancel are occupied by *The Annunciation* and *Presentation* compositions and figures of the Apostles Peter and Paul. A place of prominence among the other paintings is enjoyed by the images of the warrior saints. This can be accounted for by the needs of feudal lords in an epoch of internecine wars. The two transept walls are given to a view of the multifigured compositions *The Assumption* and *The Nativity of Christ*. Among the frescoes preserved are the figures of prophets and stylites, as well as vivid ornamentation. The walls and the vaults of the narthex are covered with *The Last Judgement* composition, which from the twelfth century was widely used in the mural painting of Old Rus.

The frescoes in St. Cyril's Church are characterized by combinations of large colour patches — white, pink, light-blue and olive. The frescoes are noted for strongly pronounced line. Unlike the saints' garments which are treated in the medieval manner of two-dimensional representation, the faces are exceptionally expressive (e. g., the figures of Church Fathers in the northern apse). The scenes from the life of St. Cyril of Alexandria in the southern apse are distinguished by a wide colour range and realistic detail. Many frescoes, including *The Angel Rolling Heaven Into a Scroll* are marked by daring treatment of composition. St. Cyril's Church features one of the most interesting pictorial collection of the twelfth-century Old Rus art.

What has survived of the seventeenth-century tempera painting is *Portrait of Father-Superior Innocent Monastirsky*, a renowned diplomat and public figure. His portrait (on the pylon of the southern aisle) is a valuable example of Ukrainian portraiture of the period. A place of honour in oil mural painting of the nineteenth century is occupied by the works by Mikhail Vrubel, a famous Russian painter who revealed great talent as a monumental painter and was a renowned colourist. One of the most striking murals is *The Descent of the Holy Ghost*, which covers the vaults in the lofts. His apostles show exceptional force of psychological penetration; here the artist has succeeded in rendering the complexity of human nature. Also in the lofts are other creations by Vrubel — *Angels with Labara*, a half-figure of Christ, and representations of Moses and Solomon. Still another work of Vrubel *Mourning by the Sepulchre* is found in the niche in the narthex. Its composition rests upon the juxtaposition of flowing lines of the three bending female figures with the rigid outline of the body of Jesus and on the composition of cold green-grey and intense ochre tones. The composition is intended to convey deep human grief. In Venice, Mikhail Vrubel painted the icons *St. Athanasius*, *The Virgin Mary*, *Christ* and *St. Cyril* for the marble iconostasis executed after the design of Adrian Prakhov. The icons are distinguished by their profound realistic approach, high degree professional skill displayed and overwhelming expressiveness. Of the four icons by Vrubel in the iconostasis, *the Virgin and Child* is especially impressive. The unfathomable eyes of this fragile young woman so luxuriously arrayed speak of a deep grief and motherly concern for her infant son. She can clearly be perceived as the personification of maternal feelings. This image ranks among the finest female portraits done by Vrubel. The icons and murals painted for St. Cyril's Church were a major milestone in the creativity of Mikhail Vrubel and made a considerable contribution to nineteenth-century monumental painting.

The ancient architecture and murals of St. Cyril's Church put this museum on a par with the most famous architectural ensembles in the country.

Інтер'єр. Центральний неф
„Воїн“. Фреска XII ст.

197

Головна баня. Композиція ,,Вознесіння". Розпис XIX ст. Художник І. Селезньов

,,Євангеліст Марк". Фреска XII ст.

МАРКЪ

200

*Північна апсида. Святитель. Фреска XII ст.
Фрагмент*

*Північна стіна. Композиція „Костянтин і
Єлена". Голова Костянтина. Фреска XII ст.
Фрагмент*

Південна апсида. Цикл
,,Житіє Кирила
Александрійського"

,,Кирило пише
заповідь". Фреска
XII ст.
Фрагменти

204

„Кирило вчить у соборі". Фреска XII ст.

„Кирило вчить царя". Фреска XII ст.

206

Орнамент. Фреска XII ст.

„Кирило зцілює біснуватих".
Фреска XII ст. Фрагмент

Нартекс. Композиція „Страшний суд".
„Ангел, що звиває небо". Фреска XII ст.

Хори. „Ангел, що веде Іоанна в пустелю".
Фреска XII ст.

210

*Портрет Інокентія Монастирського. Живопис
XVII ст. Фрагмент*

Інтер'єр. Хори

212

М. Врубель. Композиція „Зішестя святого духа".
1884 р. Голова апостола та ліва частина
композиції. Фрагменти

„Зішестя святого духа". „Космос". Фрагмент

М. Врубель. Композиція „Надгробний плач".
1884 р.

М. Врубель.
„Богоматір". 1884 р.

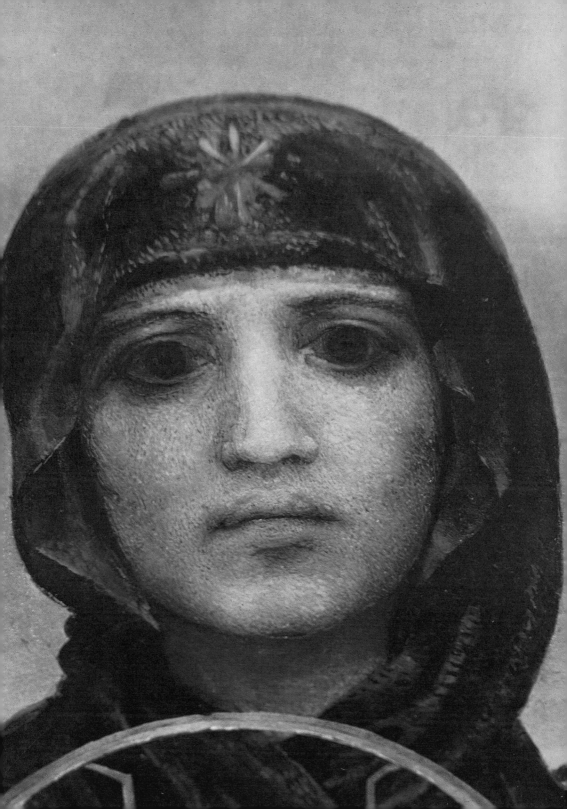

АНДРІЇВСЬКА ЦЕРКВА

АНДРЕЕВСКАЯ ЦЕРКОВЬ

ST. ANDREW'S CHURCH

Андріївську церкву часто називають лебединою піснею видатного майстра вітчизняної архітектури Бартоломео Растреллі. Височить вона на одній з круч Старокиївської гори. З її тераси чудово видно древній Поділ, задніпровські далі, нові житлові масиви.

Побудовано Андріївську церкву на замовлення імператриці Єлизавети Петрівни. Проект споруди розроблено Б. Растреллі 1748 року, будівельні роботи велися у 1749 — 1754 рр. під керівництвом відомого московського зодчого Івана Мічуріна. У створенні храму брали участь багато спеціалістів Петербурга, Москви, Києва, тому Андріївська церква вважається пам'яткою творчої співдружності російських та українських майстрів.

За свою історію церква багато разів ремонтувалася. Вже у перші роки після закінчення будівництва вона була занедбана, оскільки після смерті Єлизавети Петрівни царський двір уже не цікавився київськими будовами. Освячення храму відбулося лише 1767 року.

У XIX сторіччі кілька разів ремонтувалися верхи церкви, що призвело до грубого спотворення первісної форми обрису бані і втрати її декору. В такому вигляді пам'ятка перебувала до 70-х років XX століття.

З 1917 по 1953 рік неодноразово провадилися роботи по зміцненню фундаментів Андріївської церкви й пагорба, на якому вона стоїть, та по відведенню підґрунтових вод; виконувався ремонт фасадів, інтер'єра, робилася консервація живопису та різьблення.

У 1970 році на замовлення Софійського заповідника з Віденського музею Альбертіна було одержано фотокопії растрелліївських креслень Андріївської церкви, що там зберігалися. За цими кресленнями київські реставратори (проект архітектора В. Корнєєвої) у 1978 році відновили первісну форму бані, і ця чудова пам'ятка російського та українського зодчества постала перед киянами такою, якою її проектував Б. Растреллі.

Андріївська церква — одна з найяскравіших будівель стилю барокко, який поширився у вітчизняній архітектурі та мистецтві наприкінці XVII — у середині XVIII ст. Прийшовши з заходу, цей стиль підпав під вплив місцевих традицій і набув своєрідних національних рис. Для барочних споруд характерні парадність, ефектність, мальовничість і динамічність архітектурних форм, багатство декору, яскраве контрастне фарбування стін, велика кількість позолоти. Всі ці риси притаманні Андріївській церкві.

Щоб поставити храм на вершині пагорба, будівельники звели під ним стилобат у вигляді двоповерхового житлового будинку, що примикає до зрізу кручі. Він завершується папертю, огородженою балюстрадою. До храму ведуть з вулиці широкі чавунні сходи.

Андріївська церква — хрестоподібна в плані будова, витягнута по осі захід — схід. Її розміри — 31 × 20 метрів, висота — 47 метрів. Висота стилобата (з фундаментами) — 15 метрів. Усередині церкву перекрито однією великою банею діаметром 10 метрів. Однак зовні це п'ятиверхий храм: чотири малі баньки поставлено на контрфорси, що розміщені по діагоналі споруди. Силует церкви побудований на контрасті між масивною центральною главою та вишуканими наріжними банями, які спрямовують рух архітектурних мас угору.

Екстер'єр вражає багатством декору. Стіни будівлі й барабани бань розчленовані по вертикалі пілястрами й колонами корінфського (перший ярус) та іонічного (другий ярус) ордерів. Цоколь, стіни й барабани бань завершуються карнизами складного профілю. Круглі вікна (люкарни) обрамовано розкішним ліпним орнаментом, на фронтонах розміщено чавунні картуші з монограмою імператриці Єлизавети. Мальовничість фасадів підкреслює яскраве розфарбування: на бірюзовому тлі виділяються білі колони, пілястри, карнизи, сяють позолотою чавунні капітелі, картуші, по гранях темно-зеленої бані звиваються золочені гірлянди.

Той же принцип декору збережено в інтер'єрі, який сприймається як єдиний архітектурний об'єм. Тут також розчленовані площини стін поєднуються з багатим позолоченим ліпленням, яке обрамовує вікна-люкарни й прикрашає баню.

Головним акцентом в інтер'єрі є іконостас. Це триярусна монументальна споруда з м'якими криволінійними обрисами. На пурпурному тлі виділяються позолочені пілястри, карнизи й багаті різьблені обрамлення ікон, що мають різноманітні розміри й складні контури. Поверхню царських врат покрито суцільним мереживом різьблення. У декор введено скульптуру — голівки херувимів, постаті ангелів, трифігурну групу „Розп'яття", що завершує іконостас.

Бартоломео Растреллі керував усіма роботами по оформленню інтер'єра. Він виконав не лише проект іконостаса, але й його малюнок-шаблон у натуральному розмірі, за яким петербурзькі різьбярі Йосип Домаш і Андрій Карловський виготовили усі різьблені деталі. Монтуванням іконостаса в Києві керував майстер Йоганн Грот. За іконостасом у вівтарі міститься надпрестольна сінь на витих позолочених колонках, прикрашених гірляндами квітів. У інтер'єрі привертає увагу кафедра для проповідника, яку підтримують дві позолочені постаті ангелів.

Великий інтерес викликає живопис Андріївської церкви середини XVIII століття — ікони іконостаса, розпис кафедри, картини у бані, написані олійними фарбами на полотні. Більшу частину ікон (25 штук) виконав у Петербурзі художник І. Вишняков з учнями. Живопис на зворотному боці іконостаса створили українські художники І. Роменський та І. Чайковський. Найбільшу цінність мають роботи талановитого російського живописця Олексія Антропова: розпис кафедри, бані, велика картина „Тайна вечеря" у вівтарі, частина ікон в іконостасі. На іконі „Успіння Богородиці" зберігся його підпис.

Хоча увесь живопис Андріївської церкви написаний на релігійні сюжети, він за манерою виконання являє собою світські картини з характерними для барокко ефектними позами, ошатним одягом, великою кількістю побутових деталей, пейзажем і натюрмортом. Це реалістичне, життєстверджуюче мистецтво, позбавлене релігійного аскетизму. Живопис органічно пов'язаний з різьбленням, ліпним декором та архітектурними формами споруди.

На західних стінах трансепта можна побачити дві картини XIX століття — „Вибір віри князем Володимиром" невідомого автора і „Проповідь апостола Андрія" художника Платона Бориспольця. Це великі історичні полотна, зміст яких пов'язаний з розповідями давньоруських літописців. Виконані ці роботи у характерній манері класицизму.

В цілому інтер'єр Андріївської церкви — світлий, ошатний, мажорний — справляє враження парадної палацової зали.

За своєю художньою виразністю, сміливістю й оригінальністю задуму Андріївська церква вважається одним із шедеврів вітчизняного зодчества XVIII століття. Довершеність ліній, чіткі пропорції, дивовижна гармонія форм з навколишнім ландшафтом принесли цій пам'ятці всесвітню славу.

У 1968 році Андріївську церкву оголошено музеєм.

Андріївська церква. XVIII ст.

Деталі декору бані

Андреевскую церковь часто называют лебединой песней выдающегося мастера отечественной архитектуры. Бартоломео Растрелли. Возвышается она на одной из круч Старокиевской горы. С ее террасы открывается неповторимый вид на древний Подол, заднепровские дали, новые жилые массивы.

Построена Андреевская церковь по заказу императрицы Елизаветы Петровны. Проект здания разработан Б. Растрелли в 1748 году, строительные работы велись в 1749—1754 гг. под руководством известного московского зодчего Ивана Мичурина.

В создании храма участвовали многие специалисты Петербурга, Москвы, Киева, поэтому Андреевская церковь — памятник творческого содружества русских и украинских мастеров.

За свою историю церковь многократно ремонтировалась. Уже в первые годы по окончании строительства она пришла в запущенное состояние, поскольку после смерти Елизаветы Петровны царский двор перестал интересоваться киевскими постройками. Освящение храма состоялось лишь в 1767 году.

В XIX веке несколько раз ремонтировались верха здания, что привело к грубому искажению первоначальной формы очертания купола и утере его декора. В таком виде памятник находился до 70-х годов XX века.

С 1917 по 1953 год неоднократно проводились работы по укреплению фундаментов Андреевской церкви и холма, на котором она стоит, по отведению подпочвенных вод, выполнялся ремонт фасадов, интерьера, производилась консервация живописи и резьбы.

В 1970 году по заказу Софийского заповедника из Венского музея Альбертина были получены фотокопии хранящихся там растреллиевских чертежей Андреевской церкви. По этим чертежам киевские реставраторы (проект архитектора В. Корнеевой) в 1978 году восстановили первоначальную форму купола, и этот замечательный памятник русского и украинского зодчества предстал перед киевлянами таким, каким его проектировал Б. Растрелли.

Андреевская церковь — одна из самых ярких построек стиля барокко, который распространился в отечественной архитектуре и искусстве в конце XVII — середине XVIII в. Придя с запада, этот стиль подвергся влиянию местных традиций и приобрел своеобразные национальные черты.

Для барочных сооружений характерны парадность, эффектность, живописность и динамичность архитектурных форм, богатство декора, яркая контрастная окраска стен, обилие позолоты. Все эти черты присущи Андреевской церкви.

Чтобы поставить храм на вершине холма, строители возвели под ним стилобат в виде двухэтажного жилого здания, примыкающего к срезу кручи. Его завершает огражденная балюстрадой паперть, куда ведет с улицы широкая чугунная лестница. Андреевская церковь — крестообразная в плане постройка, вытянутая по оси запад — восток. Ее размеры 31 × 20 метров, высота — 47 метров. Высота стилобата (с фундаментами) — 15 метров. Внутри церковь перекрыта одним большим куполом диаметром 10 метров. Однако снаружи это пятиглавый храм: четыре малые главки поставлены на контрфорсы, размещенные по диагонали здания. Силуэт церкви построен на контрасте между массивной центральной главой и изящными угловыми куполами, направляющими движение архитектурных масс ввысь.

Экстерьер поражает богатством декора. Стены здания и барабаны куполов расчленены по вертикали пилястрами и колоннами коринфского (первый ярус) и ионического (второй ярус) ордеров. Цоколь, стены и барабаны куполов завершаются карнизами сложного профиля. Круглые окна (люкарны) обрамляет роскошный лепной орнамент, на фронтонах размещены чугунные картуши с монограммой императрицы Елизаветы.

Живописность фасадов усиливает яркая раскраска: на бирюзовом фоне стен выделяются белые колонны, пилястры, карнизы, сверкают позолотой чугунные капители, картуши, по граням темно-зеленого купола извиваются золоченые гирлянды.

Тот же принцип декора сохранен в интерьере, который воспринимается единым архитектурным объемом. Здесь также расчлененные плоскости стен сочетаются с богатой позолоченной лепкой, обрамляющей окна-люкарны и украшающей купол. Главным акцентом в интерьере является иконостас. Это трехъярусное монументальное сооружение мягких криволинейных очертаний. На пурпурном фоне выделяются позолоченные пилястры, карнизы и богатые резные обрамления икон, имеющих разнообразные размеры и сложные контуры. Поверхность царских врат покрыта сплошным кружевом резьбы. В декор введена скульптура — головки херувимов, фигуры ангелов, трехфигурная группа „Распятие", завершающая иконостас.

Б. Растрелли руководил всеми работами по оформлению интерьера. Он выполнил не только проект иконостаса, но и его рисунок-шаблон в натуральную величину, по которому петербургские резчики Иосиф Домаш и Андрей Карловский изготовили все резные детали. Монтированием иконостаса в Киеве руководил мастер Иоганн Грот. За иконостасом в алтаре находится надпрестольная сень на витых позолоченных колонках, украшенных гирляндами цветов. В интерьере привлекает внимание кафедра для проповедника, которую поддерживают две позолоченные фигуры ангелов.

Большой интерес представляет живопись Андреевской церкви середины XVIII века — иконы иконостаса, роспись кафедры, картины в куполе, написанные масляными красками на холсте. Большую часть икон (25 штук) выполнил в Петербурге художник И. Вишняков с учениками. Живопись на оборотной стороне иконостаса создали украинские художники И. Роменский и И. Чайковский. Наибольшую ценность имеют работы талантливого русского живописца Алексея Антропова: роспись кафедры, купола, большая картина „Тайная вечеря" в алтаре, часть икон в иконостасе. На иконе „Успение Богородицы" сохранилась его подпись.

Хотя вся живопись Андреевской церкви написана на религиозные сюжеты, она по манере исполнения представляет собою светские картины с характерными для стиля барокко эффектными позами, нарядными одеждами, обилием бытовых деталей, пейзажами и натюрмортами. Это реалистичное, жизнеутверждающее искусство, лишенное религиозного аскетизма. Живопись органично связана с резьбой, лепным декором и архитектурными формами здания.

На западных стенах трансепта находятся две картины XIX века — „Выбор веры князем Владимиром" неизвестного автора и „Проповедь апостола Андрея" художника Платона Бориспольца. Это большие исторические полотна, содержание которых связано с рассказами древнерусских летописей. Выполнены эти работы в характерной манере классицизма.

В целом интерьер Андреевской церкви — светлый, нарядный, мажорный — производит впечатление парадного дворцового зала.

По своей художественной выразительности, смелости и оригинальности замысла Андреевская церковь является одним из шедевров отечественного зодчества XVIII века. Совершенство линий, четкие пропорции, удивительная гармония форм и окружающего ландшафта принесли этому памятнику всемирную славу.

.В 1968 году Андреевская церковь объявлена музеем.

St. Andrew's Church soars grandly on the slope of Starokievskaya Hill. The terrace of the church forms a splendid look-out point with an inimitable view of the Podol district, the sunny Dnieper's vistas and the city's new housing projects across the river.

St. Andrew's Church was built on the express order of Empress Elizabeth Petrovna to the 1748 design of outstanding Russian architect Bartholomeo Rastrelli. In 1749—1754, the construction was carried out under the guidance of Ivan Michurin, an architect from Moscow. This structure is the result of fruitful collaboration between both Russian and Ukrainian architects, for quite a number of specialists from St. Petersburg, Moscow and Kiev were involved in the construction.

Many times throughout its history, St. Andrew's Church underwent repairs and reconstructions. Even in the first years of its existence, the church fell into a state of neglect, because after the death of Elizabeth Petrovna, the royal court no longer showed concern for the state of its construction projects in Kiev. It was only in 1767 that the church was consecrated.

Several times during the nineteenth century, the church roofs were repaired, and this resulted in the deformation of the dome's initial outline and a loss of exterior decor. The monument remained in this state until the 1970s.

From 1917 to 1953, work to reinforce the foundations and protect the building from subsoil water was carried out, the facades were repaired and the pictorial works conserved.

In 1970 at the request of the St. Sophia Museum staff, the Albertine Museum in Vienna sent the photocopies of Rastrelli's drawings of St. Andrew's Church. In 1978, based on the architect's drawings, the Kiev restorers headed by architect V. Korneyeva restored the dome to its original form. Today, returned to its original appearance, the church is open to the public as a monument of Russian and Ukrainian architecture.

St. Andrew's Church was built in the Baroque style current in the architecture and art of the late seventeenth — mid-eighteenth century. Borrowed from West-European art, this style was influenced by local architectural traditions and acquired unique national features. Baroque structures are marked by festive, elegant form, a dynamic arrangement of architectural elements and lavish decor. Also typical are the contrasting colouring of the wall surfaces as well as an extensive use of gilt. St. Andrew's Church incorporates all these features. To build the church on a hill, the architects resorted to a unique method: the structure's basement was erected in the form of a residential house adjoining the slope. A wide stairway of iron leads from the street to the balustrade-enclosed parvis.

St. Andrew's Church, cruciform in plan, lies along an east-west axis. Its dimensions are 31 x 20 metres, it is 47 metres high. The church's foundation is 15 metres high. Inside the building, one cupola 10 metres in diameter is visible, but when viewed from outside, the church appears to be a five-domed structure. The four remaining domes are supported by buttresses located between the arms of a spacious cross along the diagonal axes. The contrast of a massive central dome to the elegant domed surmounts makes the church especially attractive.

The exterior displays infinite richness of decor. The walls and drums of the domes are articulated through pilasters and Corinthian (in the first tier) and Ionic (in the second) columns. The basement, the walls and the drums are ornamented with intricately profiled cornices. The lucarnes are framed with lavish stuccowork, and the pediments feature wrought-iron cartouches bearing the monogram of Empress Elizabeth. The picturesque effect is enhanced by bright colouring: the white columns, pilasters and cornices stand out against the turquoise background of the walls; the capitals and wrought-iron cartouches are gilded. Winding gilded garlands adorn the domes, which are painted dark-green.

The ornamentation of the interior is similar to that used outside. The articulation of wall surfaces through vertical members is complemented by profuse gilt stuccowork adorning the window frames and domes.

The iconostasis is central to the interior decor of the church. This three-tiered structure is characterized by soft, curved outlines. The gilt pilasters, cornices and ornate icon frames of carved wood contrast marvellously to the purple background of the iconostasis featuring icons of various shapes and dimensions. The Royal Gates are covered with carved wooden lattice-work. The decor of the iconostasis incorporates pieces of statuary: heads of cherubs and figures of angels; *The Crucifixion* sculptural group crowns the iconostasis.

Rastrelli supervised the interior decoration. He not only designed the entire iconostasis, but also made drawings and moulds according to which woodcutters Iosiph Domash and Andrei Karlovsky of St. Petersburg made all the individual elements of the iconostasis. It was installed in Kiev by craftsman Johann Grot.

Behind the iconostasis in the apse, there are altar canopies on twisted columns adorned with garlands of flowers. Of interest is a pulpit supported by two gilded figures of angels. Painting occupies an important place in the interior design of St. Andrew's Church. It includes eighteenth-century productions, icons from the iconostasis, the painting on the pulpit, and the oil paintings decorating the cupola. Most of the icons (some 25 pieces) were executed by artist I. Vishnyakov of St. Petersburg with a group of his students. The paintings on the reverse side of the iconostasis were done by Ukrainian artists I. Romensky and I. Chaikovsky. Of great value are the works by the talented Russian painter Alexei Antropov. Among them, *The Last Supper* in the chancel, a number of icons in the iconostasis, and other works adorning the pulpit and the cupola. The icon *Assumption* bears his signature.

Though the paintings in St. Andrew's Church are based on religious themes, their manner of execution is entirely secular, and they exemplify realistic, life-asserting art devoid of religious asceticism. Typical of St. Andrew's Church painting are extravagant postures, rich clothing, an abundance of mundane details and an interest in landscape and still-life. The painting in the church is concordant with the woodcutting, the stuccowork, and the building's overall structure.

On the western walls of the transept are two nineteenth-century compositions *Prince Vladimir Chooses the Faith* by an anonymous painter and *St. Andrew Preaching a Sermon* by Platon Borispolets. The subjects of these historical canvases executed in a Classicist manner were borrowed from chronicles of Old Rus.

The spacious, festive, sunlit interior of St. Andrew's Church gives the impression of a formal hall in a palace. As far as its artistic style, daring conception, and harmonious blending with the natural scenery of the hillside, St. Andrew's Church is considered a gem of eighteenth-century Russian and Ukrainian architecture.

In 1968, St. Andrew's Church was proclaimed a historical monument to be preserved by the state.

Інтер'єр. Деталь
іконостаса. Вид на
вівтар

Інтер'єр. Іконостас

Деталі іконостаса

232

На наступному розвороті:
О. Антропов. «Тайна вечеря».
XVIII ст. Фрагмент

На наступному розвороті:

*Інтер'єр. Кафедра
проповідника*

Невідомий художник. ,,Вибір віри князем Володимиром``. XIX ст.

НА СТОРІНКАХ АЛЬБОМА
НА СТРАНИЦАХ АЛЬБОМА
ON THE PAGES OF THE ALBUM

ПЕРЕЧЕНЬ ИЛЛЮСТРАЦИЙ

Стр.

2. Рисунок А. ван Вестерфельда ,,София Киевская с востока``. 1651 г. Фрагмент

4—5. Софийский заповедник. Памятник архитектуры XI—XVIII вв.

8. Рисунок А. ван Вестерфельда ,,София. Южная часть западного фасада``. 1651 г. Фрагмент

10—11. Золотые ворота. Павильон-реконструкция

14. Литография неизвестного художника ,,Софийская площадь в Киеве``. Конец 1850 — начало 1860-х годов. Фрагмент

16. Кирилловская церковь. Памятник архитектуры XII—XVIII вв.

18. Андреевская церковь. Памятник архитектуры XVIII в.

20. Рисунок А. ван Вестерфельда ,,София Киевская с востока``. 1651 г. Фрагмент

37. Софийский собор в XI веке Макет. Авторы реконструкции Ю. Асеев, В. Волков, Н. Кресальный

38—39. Софийский заповедник. Вид с площади Богдана Хмельницкого

40. Софийский собор. Вид с юго-востока

41. Апсиды Софийского собора

42. Трапезная. XVIII в. Западный фасад

43. Дом митрополита. XVIII в. Восточный фасад

44. Бурса. XVIII в. Фрагмент южного фасада

45. Братский корпус. XVIII—XIX вв. Западный фасад

46—47. Колокольня. XVIII в. Детали западного фасада

48. Колокольня. XVIII в. Западный фасад, первый ярус

49. Памятный знак в честь первой древнерусской библиотеки. Скульптор И. Кавалеридзе. 1969 г. Брама Заборовского. XVIII в.

50. Софийский собор. Интерьер. Вид на главный алтарь

51. Интерьер. Трансепт

52—53. Иконостас. XVIII в. Фрагмент

54—55. Интерьер. Южная сторона хор

56. Интерьер. Михайловский придел

57. Саркофаг Ярослава Мудрого

Деталь резьбы крышки

58—59. Интерьер. Центральный неф

60. Мозаичный пол XI века. Деталь

61. Кресло митрополита. Спинка. XI в.

62—63. Свод главного алтаря. Оранта. Мозаика XI в. Фрагмент

64. ,,Евхаристия``. Левая сторона

65. ,,Евхаристия``. Правая сторона

66—67. Главный алтарь. Композиция ,,Евхаристия``. Центральная часть. Мозаика XI в.

68. ,,Евхаристия``. Голова Христа

69. ,,Евхаристия``. Апостолы Павел и Марк. Фрагменты

70. Главный алтарь. Композиция ,,Святительский чин``. Василий Великий и архидиакон Лаврентий. Мозаика XI в.

71. ,,Святительский чин``. Григорий Нисский. Деталь

72. Предалтарная арка. Композиция ,,Благовещение``. Архангел Гавриил. Мозаика XI в.

73. Архангел Гавриил. Фрагмент

74—75. ,,Благовещение``. Дева Мария. Детали

76. Интерьер. Вид на главный купол

77. Главный купол. Пантократор. Мозаика XI в.

78. Главный купол. Архангел. Мозаика XI в.

79. Подкупольный барабан. Апостол Павел. Мозаика XI в. Фрагмент

80. Предалтарная арка. Христос-иерей. Мозаика XI в.

81. Юго-западный парус. Евангелист Марк. Мозаика XI в.

82. Главный алтарь. Композиция ,,Деисус``. Богоматерь. Мозаика XI в. Фрагмент

83. ,,Деисус``. Христос. Фрагмент

84. Севастийские мученики Леонтий и Вивиан. Мозаика XI в.

85. Севастийские мученики Валерий и Севериан. Мозаика XI в.

86. Главный алтарь. Аарон. Мозаика XI в.

87. Аарон. Фрагмент

88. Аарон. Деталь

89. Юго-восточный парус. Евангелист Матвей. Мозаика XI в. Деталь

90—91. Трансепт. ,,Сошествие во ад``. Фреска XI в.

92—93. Трансепт. ,,Сошествие святого духа``. Фреска XI в.

94. Придел Петра и Павла. Апостол Павел. Фреска XI в. Фрагмент

95. Придел Петра и Павла. Апостол Петр. Фреска XI в. Фрагмент

96. Придел Петра и Павла. Святой Мелитон (?). Фреска XI в.

97. Придел Петра и Павла. Иоанн Предтеча. Фреска XI в. Фрагмент

98. Придел Иоакима и Анны. Композиция ,,Благовещение``. Архангел Гавриил. Фреска XI в. Фрагмент

99. ,,Благовещение``. Дева Мария. Фреска XI в. Фрагмент

100. Придел Иоакима и Анны. Композиция ,,Целование Марии и Елизаветы``. Фреска XI в. Фрагмент

101. „Целование Марии и Елизаветы". Фрагмент

102. Михайловский придел. „Единоборство архангела Михаила с Иаковом". Фреска XI в.

103. Михайловский придел. „Явление архангела Валааму". Фреска XI в. Фрагмент

104. Георгиевский придел. Неизвестная святая. Фреска XI в.

105. Георгиевский придел. Святая Надежда. Фреска XI в.

106. Южная внутренняя галерея. Неизвестный святой. Фреска XI в. Фрагмент

107. Центральный неф. Святой воин. Фреска XI в. Фрагмент

108. Орнамент. Фреска XI в.

109. Георгиевский придел. Сцена из жития Георгия. Фреска XI в. Фрагмент

110. Западная внутренняя галерея. Святая Евдокия. Фреска XI в.

111. Южная внутренняя галерея. Святой Фока. Фреска XI в.

112. Южная наружная галерея. Святой Домн. Фреска XI в. Фрагмент

113. Северная наружная галерея. Святой Адриан. Фреска XI в. Фрагмент

114. Южная внутренняя галерея. Григорий Богослов. Фреска XI в. Фрагмент

115. Орнамент. Фреска XI в.

116. Хоры. Юго-западный купол. Архангел. Фреска XI в.

117. Хоры. „Жертвоприношение Исаака". Фреска XI в. Фрагмент

118—119. Центральный неф. Семейный портрет Ярослава Мудрого. Фреска XI в. Фрагмент

120. Северная башня. „Борьба ряженых". Фреска XI в.

121. Северная башня. „Охота на медведя". Фреска XI в.

122. Северная башня. „Музыкант". Фреска XI в.

123. Северная башня. „Император Роман на коне". Фреска XI в.

124—125. Северная башня. „Княгиня Ольга на приеме у Константина Багрянородного". Фреска XI в. Фрагменты

126. Южная башня. „Охота на вепря". Фреска XI в.

127. Северная башня. „Птица". Фреска XI в.

128. Южная башня. Фрагменты охотничьих сцен: „Гепард" и „Лев". Фреска XI в.

129. Южная башня. „Лютый зверь нападает на всадника". Фреска XI в.

130. Южная башня. „Охота на белку". Фреска XI в. Фрагмент

131. Южная башня. „Охота на тарпана". Фреска XI в.

132—133. Южная башня. Композиция „Скоморохи". Слева — изображение органа. Фреска XI в. Фрагменты

134. Южная башня. „Грифон". Фреска XI в.

135. Южная башня. „Человек, несущий кабанью голову". Фреска XI в.

136—137. Южная башня. „Ипподром". Фреска XI в.

138. „Ипподром". Княгиня Ольга и император Константин Багрянородный в ложе

139. „Ипподром". Посольская ложа

140. „Ипподром". Голова Константина Багрянородного

141. „Ипподром". Голова княгини Ольги

142. „Ипподром". Зрители

143. Южная башня. Орнамент. Фреска XI в.

144. Крещальня. Композиция „Сорок севастийских мучеников". Фреска XI в. Фрагмент

145. Крещальня. Композиция „Крещение". Фреска XII в. Фрагмент

146. Граффито 1054 года о смерти Ярослава Мудрого

147. „Конь". Граффито XI в.

148—149. Огненные серафимы. Роспись конца XVII в.

150. Композиция „Рождество девы Марии". Роспись начала XVIII в.

151. Композиция „Чудо в Хонех". Роспись XVIII века. Фрагмент

152—153. Михайловский Златоверхий собор (1108 г.). Мозаика XII века. Композиция „Евхаристия"

154—155. „Евхаристия". Фрагмент

156. Мозаики XII века из Михайловского Златоверхого собора. Святой Стефан и святой Фаддей

157. Фреска XII века из Михайловского Златоверхого собора. Святой Захария

158. Фреска XII века из Михайловского Златоверхого собора. Композиция „Благовещение". Архангел Гавриил

159. „Благовещение". Дева Мария

160. Шиферный рельеф XI века из Михайловского Златоверхого монастыря

161. Шиферный рельеф. Деталь

162. Фрагменты мозаичного пола из Десятинной церкви. X в.

163. Саркофаг княгини Ольги из Десятинной церкви

164—165. Макет древнего Киева X—XIII вв. Фрагмент

166. Литография неизвестного художника с рисунка Задорожного „Киевские Золотые ворота". 1835—1836 гг. Фрагмент

170—171. Золотые ворота. XI в. (до сооружения павильона-реконструкции)

174. Золотые ворота. Бывшая проезжая часть

177. Золотые ворота. Павильон-реконструкция. 1982 г.

178—179. Современный вид внутри бывшего проезда

180. Интерьер. Дозорная галерея

181. Интерьер надвратной церкви. Купол

182. Акварель Ф. Солнцева "Кирилловский монастырь возле села Куреневки". 1843 г. Фрагмент

186. Кирилловская церковь XII—XVIII вв.

187. Детали фасадов

190—191. Северный фасад

194. Интерьер. Нартекс

195. Интерьер. Вид на главный алтарь

196. Интерьер. Центральный неф

197. "Воин". Фреска XII в.

198. Главный купол. Роспись XIX в. Композиция "Вознесение". Художник И. Селезнев

199. "Евангелист Марк". Фреска XII в.

200. Южный придел. Неизвестный святой. Фреска XII в. Фрагмент

201. Центральная апсида. Фигуры пророков. Фреска XII в.

202. Северная апсида. Святитель. Фреска XII в. Фрагмент

203. Северная стена. Композиция "Константин и Елена". Голова Константина. Фреска XII в. Фрагмент

204—205. Южная апсида. Цикл "Житие Кирилла Александрийского". "Кирилл пишет заповедь". Фреска XII в. Фрагменты

206. "Кирилл учит в соборе". Фреска XII в.

207. "Кирилл учит царя". Фреска XII в.

208. Орнамент. Фреска XII в.

209. "Кирилл исцеляет бесноватых". Фреска XII в. Фрагмент

210. Нартекс. Композиция "Страшный суд". "Ангел, свивающий небо". Фреска XII в.

211. Хоры. "Ангел, ведущий Иоанна в пустыню". Фреска XII в.

212. Портрет Иннокентия Монастырского. Живопись XVII в. Фрагмент

213. Интерьер. Хоры

214. М. Врубель. Композиция "Сошествие святого духа". 1884 г. Голова апостола

215. "Сошествие святого духа". Левая часть композиции

216. "Сошествие святого духа". "Космос". Фрагмент

217. М. Врубель. Композиция "Надгробный плач". 1884 г.

218. М. Врубель. "Богоматерь". 1884 г.

219. Голова Богоматери

220. Литография неизвестного художника "Вид Андреевской церкви с Подола". 1850-е годы. Фрагмент

224. Андреевская церковь. XVIII в.

225. Детали декора купола

230. Интерьер. Деталь иконостаса и вид на алтарь

231. Интерьер. Иконостас

232—233. Детали иконостаса

234—235. А. Антропов. "Тайная вечеря". XVIII в. Фрагмент

236. Интерьер. Кафедра проповедника

237. Неизвестный художник. "Выбор веры князем Владимиром". XIX в.

238. Так выглядит древний Андреевский спуск с высоты птичьего полета

LIST OF ILLUSTRATIONS

pp.

2. *"A View of the St. Sophia Monastery From the East." Drawing by Abraham van Westerfeldt. 1651. Detail*

4—5. *The St. Sophia Museum. Monument of 11th—18th century architecture*

8. *"The St. Sophia Cathedral. The Southern Section of the Western Facade." Drawing by Abraham van Westerfeldt. 1651. Detail*

10—11. *The Golden Gates. Reconstructed pavilion*

14. *"The Sophia Square in Kiev." Lithograph by an anonymous artist. Late 1850s — early 1860s. Detail*

16. *St. Cyril's Church. Monument of 12th-18th century architecture*

18. *St. Andrew's Church. Monument of 18th-century architecture*

20. *"A View of St. Sophia's Monastery From the East." Drawing by Abraham van Westerfeldt. 1651. Detail*

37. *The St. Sophia Cathedral in the 11th century. Mock-up. Reconstruction by Yuri Aseyev, Vladimir Volkov and Mikhail Kresalny*

38—39. *The St. Sophia Cathedral. View from Bogdan Khmelnitsky Square*

40. *The St. Sophia Cathedral. View from the southeast*

41. *Apses of the St. Sophia Cathedral*

42. *The Refectory. 18th cent. Western facade*

43. *The Metropolitan's Residence. 18th cent. Eastern facade*

44. *Church Seminary. 18th cent. Partial view of the southern facade*

45. *Building which housed the cells of the cathedral elders. 18th—19th cents. Western facade*

46—47. *Bell Tower. 18th cent. Western facade. Details*

48. *Bell Tower. 18th cent. Western facade. The first tier*

49. *Memorial in honour of the first library of Old Rus. Sculptor I. Kavaleridze. 1969 The Zaborovsky Gate. 18th cent.*

50. *The St. Sophia Cathedral. Interior. View of the chancel*

51. *Interior. Transept*

52—53. *Iconostasis. 18th cent. Detail*

54—55. *Interior. Southern part of the choirlofts*

56. *Interior. The Chapel of St. Michael*

57. *Sarcophagus of Yaroslav the Wise Detail of the carved ornamentation on the lid*

58—59. *Interior. Nave*

60. *Mosaic floor. 11th cent. Detail*

61. *Metropolitan's throne. Back. 11th cent.*

62—63. *Chancel dome. The Virgin Orans. 11th-century mosaic. Detail*

64. *"The Eucharist." Left part*

65. *"The Eucharist." Right part*

66—67. *Chancel. "The Eucharist" composition. Central part. 11th-century mosaic*

68. *"The Eucharist." Head of Christ*

69. *"The Eucharist." The Apostles Paul and Mark. Details*

70. *Chancel. "The Church Fathers Range." St. Basil the Great and the Archdeacon Laurentius. 11th-century mosaic*

71. *"The Church Fathers Range." St. Gregory of Nissa. Detail*

72. *Arch before the chancel. "The Annunciation" composition. Archangel Gabriel. 11th-century mosaic*

73. *Archangel Gabriel. Detail*

74—75. *"The Annunciation." The Virgin Mary. Details*

76. *Interior. View of the central cupola*

77. *The central cupola. Christ Pantocrator. 11th-century mosaic*

78. *The central cupola. Archangel. 11th-century mosaic*

79. *Drum of the central cupola. Apostle Paul. 11th-century mosaic. Detail*

80. *Arch before the chancel. Christ. 11th-century mosaic*

81. *South-west pendentive. St. Mark the Evangelist. 11th-century mosaic*

82. *The chancel. "The Deesis" composition. The Virgin. 11th-century mosaic. Detail*

83. *"The Deesis" composition. Christ. Detail*

84. *The Martyrs of Sebaste. SS. Leontiy and Vivian. 11th-century mosaic*

85. *The Martyrs of Sebaste. SS. Valery and Severian. 11th-century mosaic*

86. *The chancel. Aaron. 11th-century mosaic*

87. *Aaron. Detail*

88. *Aaron. Detail*

89. *South-east pendentive. St. Matthew the Evangelist. 11th-century mosaic. Detail*

90—91. *Transept. "The Descent into Hell." 11th-century fresco*

92—93. *Transept. "The Descent of the Holy Ghost." 11th-century fresco*

94. *The Chapel of SS. Peter and Paul. Apostle Paul. 11th-century fresco. Detail*

95. *The Chapel of SS. Peter and Paul. Apostle Peter. 11th-century fresco. Detail*

96. *The Chapel of SS. Peter and Paul. St. Meliton (?). 11th-century fresco*

97. *The Chapel of SS. Peter and Paul. John the Baptist. 11th-century fresco. Detail*

243

98. The Chapel of Joachim and Anna. "The Annunciation" composition. Archangel Gabriel. 11th-century fresco. Detail

99. "The Annunciation." The Virgin Mary. 11th-century fresco. Detail

100. The Chapel of Joachim and Anna. "The Visitation of Mary and Elizabeth." 11th-century fresco. Detail

101. "The Visitation of Mary and Elizabeth." Detail

102. The Chapel of St. Michael. "Jacob Wrestling with the Archangel Michael." 11th-century fresco

103. The Chapel of St. Michael. "The Manifestation of the Archangel Michael to Balaam." 11th-century fresco. Detail

104. The Chapel of St. George. Unknown saint. 11th-century fresco

105. The Chapel of St. George. St. Nadezhda. 11th-century fresco

106. South inner cloister. Unknown saint. 11th-century fresco. Detail

107. Nave. Warrior saint. 11th-century fresco. Detail

108. Ornament. 11th-century fresco

109. The Chapel of St. George. Scene from St. George's life. 11th-century fresco. Detail

110. Western inner cloister. St. Eudoxia. 11th-century fresco

111. South inner cloister. St. Thocus. 11th-century fresco

112. South outer cloister. St. Domnus. 11th-century fresco. Detail

113. North outer cloister. St. Adrian. 11th-century fresco. Detail

114. South inner cloister. St. Gregory the Preacher. 11th-century fresco. Detail

115. Ornament. 11th-century fresco

116. Choirlofts. South-west cupola. Archangel. 11th-century fresco

117. Choirlofts. "Abraham Offers Up Isaac." 11th-century fresco. Detail

118—119. Nave. Portrait of the Family of Yaroslav the Wise. 11th-century fresco. Detail

120. North tower. "Fighting Mummers." 11th-century fresco

121. North tower. "Bear Hunt." 11th-century fresco

122. North tower. "Musician." 11th-century fresco

123. North tower. "The Emperor Roman on Horseback." 11th-century fresco

124—125. North tower. "Princess Olga Being Received by Emperor Constantine Porphyrogenitus." 11th-century fresco. Details

126. South tower. "Wild Boar Hunt." 11th-century fresco

127. North tower. "Bird." 11th-century fresco

128. South tower. Details of hunting scenes "Cheetah" and "Lion." 11th-century frescoes

129. South tower. "Animal Attacking a Horseman." 11th-century fresco

130. South tower. "Squirrel Hunt." 11th-century fresco. Detail

131. South tower. "Hunting a Wild Horse." 11th-century fresco

132—133. South tower. "The Buffoons." Left — representation of a pipe organ. 11th-century fresco. Details

134. South tower. "Griffon." 11th-century fresco

135. South tower. "Man Carrying a Boar's Head." 11th-century fresco

136—137. South tower. "Hippodrome." 11th-century fresco

138. "Hippodrome." Princess Oiga and Emperor Constantine Porphyrogenitus in the Box Seat

139. "Hippodrome." Ambassadors' Box Seats

140. "Hippodrome." Head of Constantine Porphyrogenitus. Detail

141. "Hippodrome." Head of Princess Olga. Detail

142. "Hippodrome." Spectators

143. South tower. Ornament. 11th-century fresco

144. Baptistery. "The Forty Martyrs of Sebaste" composition.11th-century fresco. Detail

145. Baptistery. "The Baptism" composition. 12th-century fresco. Detail

146. Graffito of 1054 which registered the death of Yaroslav the Wise

147. "Horse." 11th-century graffito

148—149. The Flaming Seraphs. Late 17th-century painting

150. "The Nativity of the Virgin" composition. Early 18th-century painting

151. "The Miracle at Coniah" composition. 18th-century painting. Detail

152—153. St. Michael's Monastery of the Golden Domes (1108). 12th-century mosaic. "The Eucharist" composition

154—155. "The Eucharist." Detail

156. 12th-century mosaics from St. Michael's Cathedral of the Golden Domes. St. Stephen and St. Thaddeus

157. 12th-century fresco from St. Michael's Cathedral of the Golden Domes. St. Zachariah

158. 12th-century fresco from St. Michael's Cathedral of the Golden Domes. "The Annunciation" composition. Archangel Gabriel

159. "The Annunciation". The Virgin Mary

160. 11th-century slate relief from St. Michael's Cathedral of the Golden Domes

161. Slate relief. Detail

162. Fragments of a 10th-century mosaic floor from the Church of the Tithes

244

163. *Sarcophagus of Princess Olga from the Church of the Tithes*

164—165. *Model of the ancient Kiev in the 10th—13th-century. Detail*

166. *"The Golden Gates of Kiev." Lithograph by an anonymous artist based on Zadorozhny's drawing. 1835—1836. Detail*

170—171. *The Golden Gates. 11th century. (Prior to the construction of the protective pavilion)*

174. *The Golden Gates. The former passage way*

177. *The Golden Gates. The reconstructed pavilion. 1982*

178—179. *The passage way as it looks today*

180. *Interior. The guard gallery*

181. *Interior of the gate church. Cupola*

182. *"St. Cyril's Monastery Near the Village of Kurenyovka." Watercolour by F. Solntsev. 1843. Detail*

186. *St. Cyril's Church. 12th—18th cents*

187. *Details of the facades*

190—191. *North facade*

194. *Interior. Narthex*

195. *Interior. A view of the chancel*

196. *Interior. Nave*

197. *"Warrior." 12th-century fresco*

198. *Central cupola. "The Ascension" composition. 19th-century painting. Artist I. Seleznyov*

199. *"St. Mark the Evangelist." 12th-century fresco*

200. *South chapel. Unknown saint. 12th-century fresco. Detail*

201. *Central apse. Figures of the Prophets. 12th-century fresco*

202. *North apse. The Church Father. 12th-century fresco. Detail*

203. *North wall. "Constantine and Helene" composition. Head of Constantine. 12th-century fresco. Detail*

204—205. *South apse. "The Life of St. Cyril of Alexandria" cycle. "St. Cyril Writing the Commandments." 12th-century fresco. Details*

206. *"St. Cyril Admonishing in the Temple." 12th-century fresco*

207. *"St. Cyril Admonishing the King." 12th-century fresco*

208. *Ornament. 12th-century fresco*

209. *"St. Cyril Curing the Epileptics." 12th-century fresco. Detail*

210. *Narthex. "The Last Judgement" composition. "Angel Rolling Heaven into a Scroll." 12th-century fresco*

211. *Lofts. "Angel Leading Young John into the Desert." 12th-century fresco*

212. *Portrait of Father-Superior Innocent Monastirsky. 17th-century painting. Detail*

213. *Interior. Lofts*

214. *M. Vrubel. "The Descent of the Holy Ghost" composition. 1884. Head of the Apostle*

215. *"The Descent of the Holy Ghost" composition. Left part of the composition*

216. *"The Descent of the Holy Ghost" composition. "Cosmos." Detail*

217. *M. Vrubel. "The Mourning by the Sepulchre" composition. 1884*

218. *M. Vrubel. "The Virgin Mary." 1884*

219. *Head of the Virgin Mary*

220. *"A View of St. Andrew's Church from the Podol." Lithograph by an anonymous artist. 1850s. Detail*

224. *St. Andrew's Church. 18th cent.*

225. *Ornamentation of the dome. Details*

230. *Interior. Detail of the iconostasis. A view of the chancel*

231. *Interior. The iconostasis*

232—233. *Details of the iconostasis*

234—235. *A. Antropov. "The Last Supper." 18th cent. Detail*

236. *Interior. The pulpit*

237. *Anonymous artist. "Prince Vladimir Chooses the Faith." 19th cent.*

238. *A bird's eye view of Andreyevsky Descent*

ЗМІСТ

ВСТУП 6
СОФІЯ КИЇВСЬКА 22
ЗОЛОТІ ВОРОТА 168
КИРИЛІВСЬКА ЦЕРКВА 184
АНДРІЇВСЬКА ЦЕРКВА 222

СОДЕРЖАНИЕ

ВСТУПЛЕНИЕ 12
СОФИЯ КИЕВСКАЯ 27
ЗОЛОТЫЕ ВОРОТА 172
КИРИЛЛОВСКАЯ ЦЕРКОВЬ 188
АНДРЕЕВСКАЯ ЦЕРКОВЬ 226
ПЕРЕЧЕНЬ ИЛЛЮСТРАЦИЙ 240

CONTENTS

INTRODUCTION 17
THE ST. SOPHIA OF KIEV 32
THE GOLDEN GATES 175
ST. CYRIL'S CHURCH 192
ST. ANDREW'S CHURCH 228
LIST OF ILLUSTRATIONS 243

ГОСУДАРСТВЕННЫЙ ИСТОРИКО-АРХИТЕКТУРНЫЙ ЗАПОВЕДНИК „СОФИЙСКИЙ МУЗЕЙ"

Фотоальбом

Издание второе

(На украинском, русском и английском языках)

Киев, „Мыстэцтво", 1990

Составитель
ИРМА ФАНТИНОВНА ТОЦКАЯ

Художники
БОРИС ИОСИФОВИЧ БРОДСКИЙ,
ВЛАДИМИР БОРИСОВИЧ БРОДСКИЙ

Макет
АФИНЫ ЛЕОНИДОВНЫ НАРИНСКОЙ

Авторы текста
ИРМА ФАНТИНОВНА ТОЦКАЯ,
ВАЛЕНТИНА НИКИФОРОВНА АЧКАСОВА

Рецензент

доктор исторических наук
СЕРГЕЙ АЛЕКСАНДРОВИЧ ВЫСОЦКИЙ

Авторы фотографий:

Ю. М. Бусленко (1 и 4 страницы обложки, 42, 44, 46, 47, 49, 177, 187, 225), Б. В. Кочеров и Р. Э. Бениаминсон (38, 231), Б. А. Миндель (4, 10, 18, 49, 164, 170, 174, 178—181, 224, 238), В. А. Моруженко (37, 40, 43, 45, 56, 57, 90—93, 98—105, 108—110, 117, 120—151, 156—163), В. А. Моруженко и В. Б. Соловский (41, 50—52, 54, 58, 60—75, 77—89, 94—97, 106, 107, 111—116, 118, 152—154), В. Б. Соловский (16, 186, 190, 194—219, 230, 232—237), Т. М. Шабловский (48, 49).

Завідуючий редакцією Б. Я. ШКОЛЬНИКОВ

Редактор Н. С. ПАВЛОВСЬКА

Редактор англійського тексту О. Б. САНДАКОВА

Художній редактор А. Л. НАРІНСЬКА

Технічний редактор Н. А. ТУРБАНОВА

Коректор С. І. ГАЙДУК

В художньому оформленні використано малюнки

А. ван Вестерфельда „Софія Київська зі сходу". 1651 р. (стор. 2, 20);

„Софія. Південна частина західного фасаду". 1651 р. (стор. 8);

літографію невідомого художника „Софійський майдан у Києві". Кінець 1850 — початок 1860-х рр. (стор. 14);

літографію невідомого художника „Київські золоті ворота". 1835 — 1836 рр. (стор. 166);

акварель Ф. Солнцева „Кирилівський монастир біля села Куренівки". 1843 р. (стор. 182);

літографію невідомого художника „Вигляд Андріївської церкви з Подолу". 1850-і рр. (стор. 220).

Н/К

Підписано до друку з діапозитивів 28.04.90. Формат 70×90$^1/_{16}$. Папір крейдяний. Гарнітура таймс. Друк офсетний. Умовн. друк. арк. 18,14. Умовн. фарб.-відб. 74,88. Облік.-вид. арк. 22,71. Тираж 50 000 пр. Зам. 0—1573. Ціна 8 крб.

Видавництво „Мистецтво", 252034, Київ-34, вул. Золотоворітська, 11.

Надруковано з діапозитивів Головним підприємством республіканського виробничого об'єднання „Поліграфкнига", 252057, Київ-57, вул. Довженка, 3.

Д $\dfrac{4901101000—076}{М207(04)—90}$ без оголошення

ISBN 5—7715—0444—0